は じ め に

　本書は『基本漢字500　BASIC KANJI BOOK』の下巻（VOL. 2）である。したがって、基本的な編集方針、学習内容の配列などは上巻（VOL. 1）と変わらないが、下巻（VOL. 2）では、さらに漢字の造語力や用法、使用場面によるグループ分けなどに着目させ、漢字語彙数を増やしていく方針をとっている。改訂版では、 ユニット2 　2－3の書き練習のⅢ. として、文を書く場合にどの語を漢字で書くべきか、という文中での漢字・漢語意識を身につけさせることをねらった応用練習をつけ加えた。また、徐々に日本語に慣れさせるために、練習問題の指示は、すべてやさしい日本語にした。

　本書をクラスで使用する際には、単純な読み練習や書き練習は、予習または宿題の形で自習に任せることとして、クラスでは ユニット3 の読み物や応用練習に重点を置くようにしたほうがよい。漢字や漢字語彙をただ覚えさせることが重要なのではなく、それらに関する知識や使い方などを身につけさせることによって、読解（特に、速読）や作文、語彙の拡張などにつなげていくことが、中級へ進むにあたっての課題であると考える。徐々に、学習者自身の必要や興味に応じて、手紙やレポート、スピーチの原稿などを書かせたり、漢和辞典やワード・プロセッサーを使わせたり、といったいろいろな方向への指導を工夫していただきたい。と同時に、本書を使う段階になってもまだ漢字が弱い学習者を救済するためには、どんどん膨れ上がっていく語彙の中から、最低これだけは覚えてほしいという漢字の言葉を、精選して与えるというような教師側の工夫も必要だと思われる。

　いずれにしても本書の目標は、学習者を自力でさらに上のレベルを目指せるような段階まで引き上げることにあるので、いろいろな指導法を工夫していただきたいと思う。できるだけ多くの方々に使っていただき、ご意見、ご批評をいただければ幸いである。

1991年3月

筑波大学留学生教育センター
漢字学習研究グループ

加納千恵子
清水　百合
竹中　弘子
石井恵理子

目次 (Table of Contents) Ⅱ

IV

第23課

ユニット 1　　　　　　　　　　　　　　　　　　漢字の話

趣味（Hobbies）

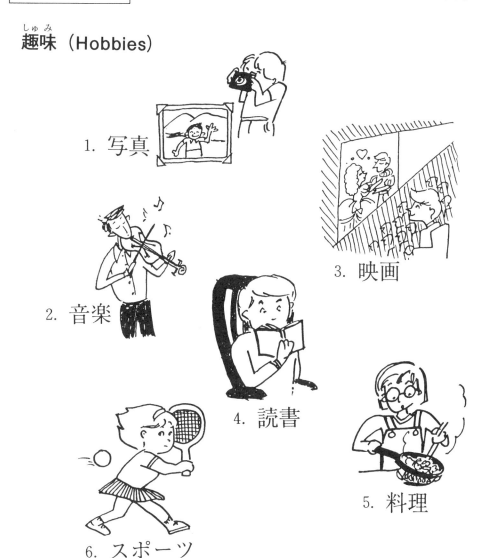

1. 写真
2. 音楽
3. 映画
4. 読書
5. 料理
6. スポーツ

☆　あなたの趣味は何ですか。

私の趣味は
写真　読書		とる　する　　写す
映画　スポーツ	を	見る　楽しむ　習う
音楽　料理		聞く　作る
ことです。

ユニット 2 ──────────── 第二十三課の基本漢字

2-1. 漢字の書き方

漢字	いみ	くんよみ	オンヨミ	（画数）

252 映　reflect　　うつ-る　うつ-す　　エイ　（9）

一	冂	月	日	日'	町	町	映	映					

映（うつ）る　to be reflected　　映（うつ）す　to reflect
映画（えい・が）　a movie　　上映（じょう・えい）する　to show（a movie）

253 画　picture / Kanji strokes　　ガ　カク　（8）

一	丆	冂	币	而	両	画	画						

日本画（に・ほん・が）a Japanese painting　　画家（が・か）a painter
画面（が・めん）a screen（TV/movie）　　画数（かく・すう）stroke count number

254 写　copy / project　　うつ-る　うつ-す　　シャ　（5）

一	冖	写	写	写									

写（うつ）る　to be photographed　　写真（しゃ・しん）　a photograph
写（うつ）す to copy, to take（a photograph）

漢字	いみ	くんよみ	オンヨミ	（画数）

255 真 | true, genuine just, exact | ま／まっ- | シン | (10)

一 十 十 古 古 百 直 直 真 真

真夜中（ま・よ・なか）　midnight　　　真白（まっ・しろ）　real white
真理（しん・り）　truth

256 音 | sound | おと | オン | (9)

丶 ㇕ 立 立 产 音 音 音

音（おと）　sound, noise　　　　音読（おん・よ）み　'ON' reading
発音（はつ・おん）　pronunciation

257 楽 | amuse, pleasant music | たの-しい たの-しむ | ガク ラク | (13)

丿 仁 白 白 白 泊 油 渔 渔 楽 楽 楽

楽（たの）しい　enjoyable　　　　音楽（おん・がく）　music
楽（たの）しむ　to enjoy　　　　　楽（らく）な　easy, comfortable

258 料 | ingredients fee, fare | | リョウ | (10)

丶 丷 丷 半 米 米 米 料 料 料

料理（りょう・り）cooking　　　　料金（りょう・きん）a fee, a charge
材料（ざい・りょう）ingredients　　原料（げん・りょう）raw material

漢字	いみ	くんよみ	オンヨミ	（画数）

259 組　unite / assemble　　く-む　／　ソ　　くみ／-ぐみ　　（11）

〈　幺　幺　糸　糸　糸　糺　紅　紅　組　組

組（く）み合（あ）わせ a combination　　～組（くみ）～sets, ～pairs
組（くみ）a group, a set　　番組（ばん・ぐみ）a（TV/movie）program

---

260 思　think / fancy　　おも-う　　シ　　（9）

丿　冂　冊　冊　田　甲　思　思　思

思（おも）う to think　　　　思（おも）い出（で）a memory
思（おも）い出（だ）す to recall　　思考力（し・こう・りょく）thinking power

---

261 色　color / feature　　いろ　　ショク　　（6）

丿　ク　乌　彡　多　色

色（いろ）color　　　　原色（げん・しょく）primary colors
特色（とく・しょく）a characteristic

---

262 白　white / confess　　しろ／しろ-い　　ハク　　（5）

丿　亻　冇　白　白

白（しろ）white color　　　白（しろ）い white
白鳥（はく・ちょう）a swan

漢字	いみ		くんよみ		オンヨミ	（画数）
263 黒	black		くろ くろ-い		コク	（11）

一	口	日	曰	甲	甲	里	里	黒	黒	黒	

黒（くろ）　black color　　　　　　　黒板（こく・ばん）　a blackboard
黒（くろ）い　black　　　　　　　　　黒字（くろ・じ）　a profit, surplus

264 赤	red		あか あか-い		セキ	（7）

一	十	土	寺	赤	赤	赤					

赤（あか）red color　　　　　　　　　赤（あか）ちゃん　a baby
赤（あか）い　red　　　　　　　　　　赤字（あか・じ）　a deficit

2－2.　読み練習

Ⅰ. つぎの漢字の読み方をひらがなで書きなさい。

1. 思う　　2. 楽しむ　　3. 楽な　　4. 楽しい　　5. 白い　　6. 赤い

7. 黒い　　8. 音　　9. 色　　10. 写真家　　11. 画家

12. 映画音楽　　13. 料金　　14. 赤ちゃん

Ⅱ. つぎの漢字の読み方をひらがなで書きなさい。

1. テレビの画面に赤道（the equator）の近くの国が映っている。

2. この料理の特色はいろいろな材料が入っていることです。

3. 先生が黒板に字を書いて、学生は発音の練習をします。

4. 中国料理と日本料理とフランス料理の中で何が一番好きですか。

5. 真夜中にテレビで音楽番組や外国映画をよく見ます。

6. 彼女は色が白く、黒くて長いかみがきれいです。

7. この字は画数が13画で、くん読みが「たのしい」、音読みが「ガク」と「ラク」です。

8. 電気料金もガス料金も高くなったから、今月も赤字だ。

9. ふゆに白い雪の中でスキーをしたことは、楽しい思い出です。

2－3. 書き練習

Ⅰ. □にてきとうな漢字を入れなさい。

1. a movie

□□
えい　が

2. to cook

□□する
りょう　り

3. a photograph

□□
しゃ　しん

4. music

□□
おん　がく

5. sound

□
おと

6. enjoyable

□しい
たの

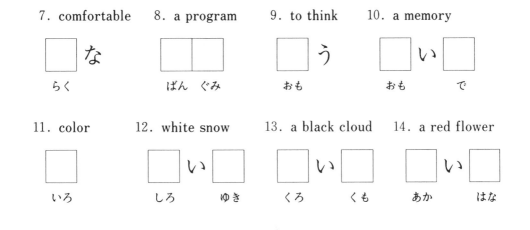

7. comfortable 8. a program 9. to think 10. a memory

□ な　らく

□□　ばん ぐみ

□ う　おも

□ い □　おも　で

11. color

□　いろ

12. white snow

□ い □　しろ　ゆき

13. a black cloud

□ い □　くろ　くも

14. a red flower

□ い □　あか　はな

Ⅱ. □にてきとうな漢字を入れなさい。

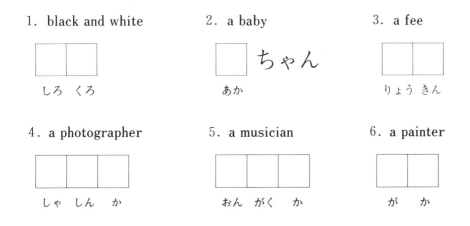

1. black and white

□□　しろ くろ

2. a baby

□ ちゃん　あか

3. a fee

□□　りょう きん

4. a photographer

□□□　しゃ しん か

5. a musician

□□□　おん がく か

6. a painter

□□　が か

Ⅲ. つぎの文をてきとうな漢字を使って書きかえなさい。

例. まよなかにともだちからでんわがかかってきた。

　→真夜中に友だちから電話がかかってきた。

1.「にちようび」の「よう」というじは、かくすうがおおくて、むずかしい。

2. ふるいしろくろのえいがをおもいだした。

3. ともだちといっしょにりょうりをつくるのはたのしい。

4. となりのテレビのおとがおおきいので、おんがくがよくきこえない。

ユニット 3 ─────────────────────── 読み物

＜ゆめ＞（A Dream）

　今日は真理子さんとデートだ。6時におきた。いつもより1時間も早い。ひげをそって、くつをみがいてから、家を出た。

　9時に真理子さんの家に着いた。ドアが開いて、真理子さんが出てきた。白いワンピースがとてもきれいだ。はじめに映画を見に行った。日曜日の映画館はかなりこんでいたが、映画はおもしろかった。

　映画の後、フランス料理のレストランへ行った。レストランの中は、少し暗くて、かべには古い写真があり、静かな音楽が聞こえる。とてもいいムードだ。料理もおいしい。ワインを飲んで、真理子さんのほおは少し赤い。ぼくは目をつぶった。そして思い切って真理子さんに言った。「真理子さん、ぼ、ぼ、ぼくとけっこんしてください！」

　その時、ベルの音が聞こえた。目を開けると、ぼくはベッドの上にいた。

　＊デート　a date　　　ひげをそる　to shave oneself　　　みがく　to polish
　ワンピース　a one-piece dress　　　こんでいる　to be crowded
　かべ　a wall　　ムード　mood　　ワイン　wine　　ほお　a cheek
　目をつぶる　to shut one's eyes　　　思い切って〜　to make bold to do〜, to dare to
　ベル　a bell　　　ベッド　a bed

質問　1.　この人はいつも何時におきるのですか。

　　　2.　この人は真理子さんの家に行く前に、何をしましたか。

　　　3.　真理子さんは何色のワンピースを着ていましたか。

　　　4.　二人はどんなレストランへ行きましたか。

　　　5.　この人は真理子さんとけっこんできると思いますか。

しっていますか　　　できますか

＜新聞のテレビ番組表（ばんぐみひょう）＞

NHKテレビ 1	NHK教育テレビ 3	時	日本テレビ 4	T
00 N◇05おーい！はに丸 20 スプーンおばさん◇歌 35 何でもワンダーランド	00 お母さんと一緒国◇歌 30 シルバーシート国「高齢者とすまい・浴室」	5	00 ザ・ヘッドマスターズ 30国新DOKIドキDO！ドキドキマドンナの巻	00
00 いま6 N▽キノコの王者・ギンタケを探る 30 NC630 定数訴訟判決▽地域特集茨城◇天	00 スペイン語国「電話番号教えて」東谷頴人ほか 30 ハングル講座国「私は外で待っています」	6	00 ライブオン N 千恵子さん殺害事件続報▽30国広島大学部長殺しの犯人は助手だった◇天	00
00国7時のニュース◇天 30 関東甲信越小さな旅「築城石のある町・静岡県東伊豆町」おもしろ屋号訪問▽へらへらもちヾしっくいコテ絵	00 高等学校講座・英語Ⅰ国「ロバの尻尾」見上晃 30 短歌入門「題材の選び方」岡野弘彦	7	00 特集スーパーアイドル▽速報！マイケルIN後楽園▽NTV音楽祭舞台裏から見たアイドルたちの素顔！少年隊　荻野目洋子ほか	00
00 首都圏スペシャル「ウチの隣は超高層ビル・西新宿少年日記」母さん僕は引っ越さない 45 NC845「変形自在のプラスチック」	00 ETV8「解明された免疫メカニズム・利根川進さん・ノーベル賞受賞」江口吾朗ほか 45 テレビコラム「天文学と偶然性」堀源一郎	8	00 ジャングル「八坂署への挑戦」鹿賀丈史 江守徹　桑名正博 勝野洋　火野正平 香坂みゆき　西山浩司 田中実ほか◇54国N天	00 8.51
00 ニュースセンター9時▽揺れない船誕生▽米ソ外相会談始まる 40 おとんぼ ミヤコ蝶々　村上弘明　杉浦直樹　岡田奈々ほか	00 きょうの料理国「忙しい人のために・小さく手早く大きく手軽に」塩田ミチル 25 ファミリージャーナル「海外パック旅行大研究」高梨洋一郎	9	00国秋の映画スペシャル「子猫物語」（1986年フジテレビ）畑正憲監督 市川崑協力監督 坂本竜一音楽監督 畑三喜雄動物監督 時の朗読・小泉今日子 ナレーター・露木茂	00
00国大黄河「峡谷を下る・風土と生活編」語り・緒形拳 30 NHKナイトワイド▽日本シリーズを占う▽気象情報▽53N天▽11.00ニュースと解説「衆院定数訴訟判決」	10.15 市民大学・雇用と労働「終身雇用とキャリア形成」花見忠 00 高等学校講座・科学と人間国「運動の法則」竹内均	10	10.51 スポーツN 00 ムック 追跡！カツ丼誕生の謎▽30国出来事 45国11PM 男はロマンで金・夢・オンナ国天	10.48 00国
11.25 スタジオL「われは海の子せとうちの」坂田明　栄久庵憲司　仁田一也　大林宣彦 55 N（11.58終了）	30 フランス語講座国「お元気ですか？」西永良成ほか（11.58終了）	11	1.10映「腰抜け二挺拳銃」 3.00映「探偵マイク・ハマー殺しのノクターン」	30 0.00映 1.05国 2.59終
6.00 N◇15列島朝いちばん「廃村は新天地」 6.45 ニュースワイド	6.00 高校講座生物◇体操 6.40 お達者くらぶ 7.00 ロシア語講座	明朝	5.00 美の世界国 5.30 ドキュメント'87国 6.00 実戦！ゲートボール	5.53 5.57 6.25

＊ ～講座（こうざ）　a lecture on ～, a ～ course
　特集（とくしゅう）　a special edition＝スペシャル
　～入門（にゅうもん）　a guide to ～, beginning ～

◇　いろいろな記号

Ｎ　ニュース　news

天　天気予報（てんきよほう）　weather forecast

二　二ヶ国語（にかこくご）　bilingual

Ｓ　ステレオ　stereo

映　映画　movie

再　再放送（さいほうそう）　rebroadcast

[質問]　1.　映画は、いつどのチャンネルでやりますか。

2.　英語のニュースは、いつどのチャンネルで聞けますか。

3.　料理の番組はありますか。

4.　今夜は、どんな外国語の講座がありますか。

5.　この中であなたはどの番組を見てみたいですか。

6.　日本のテレビには、チャンネルがいくつありますか。

7.　あなたの国のテレビ番組について説明してください。

第24課

ユニット 1 ─────────────────────────── 漢字の話

動詞 －4－ 反対の動作（Opposite Actions）

これは、この課で勉強する動詞の漢字です。

| 起 寝 遊 立 座 使 始 終 貸 借 返 送 |

これをいくつかの反対（はんたい　opposite）の動作に分けてみましょう。

［　］に助詞（じょし　particles）、＿＿＿に適当（てきとう　appropriate）な
ひらがなを書きなさい。

赤ちゃん［　］寝＿＿　　　　　　　　　　赤ちゃん［　］起＿＿

男の人［　］近く［　］立＿＿　　　　　女の人［　］となり［　］座＿＿

子ども［　］遊＿＿　　　　　　　　　　お母さん［　］働＿＿

映画 [ ] 始___　　　　　映画 [ ] 終___

図書館 [ ] 本 [ ] 返___

学生 [ ] 本 [ ] 貸___　　　　学生 [ ] 本 [ ] 借___

◇ 自動詞と他動詞 (Intransitive Verbs and Transitive Verbs)

<~が　Vi>

起きる／起こる
(to get up, to happen)

立つ
(to stand up)

曲がる
(to turn, to be bent)

始まる
(to begin)

終わる
(to finish)

<~が　~を　Vt>

起こす
(to wake, to cause)

立てる
(to set up something)

曲げる
(to bend something)

始める
(to begin something)

終わる／終える
(to finish something)

ユニット 2 ——————————第二十四課の基本漢字

2－1．漢字の書き方

漢字	いみ	くんよみ	オンヨミ	（画数）

265 起　rise / initiate　　お-きる／お-こる　お-こす　キ　（10）

一 十 土 キ キ 走 走 起 起 起

起（お）きる　to get up, to rise　　　　起（お）こる　to happen, to occur
起（お）こす　to cause, to wake someone up

266 寝　sleep　　ね-る　シン　（13）

丶 丷 宀 宀 宁 宇 宇 宇 宇 寍 寍 寝 寝

寝（ね）る　to sleep　　　　寝台車（しん・だい・しゃ）a sleeping car
寝室（しん・しつ）　a bedroom

267 遊　play, fun / wander　　あそ-ぶ　ユウ　（12）

丶 亠 う 方 方 方 方 方 游 游 遊 遊

遊（あそ）ぶ　to play　　　　遊（あそ）び　play, recreation
遊園地（ゆう・えん・ち）an amusement park

	漢字	いみ	くんよみ	オンヨミ	(画数)

268 立 — stand / establish — た-つ ／たち- ／た-てる — リツ — (5)

丶 亠 产 方 立

立(た)つ　to stand　　　　立場(たち・ば)　a standpoint
国立(こく・りつ)　national　　　私立(し・りつ)　private

269 座 — seat — すわ-る — ザ — (10)

丶 亠 广 广 広 広 広 広 座 座

座(すわ)る　to sit　　　　座席(ざ・せき)　a seat
正座(せい・ざ)する　to sit up straight; to sit in the formal Japanese style

270 使 — use — つか-う — シ — (8)

丿 亻 仁 仁 仃 信 使 使

使(つか)う　to use, to employ　　大使(たい・し)　an ambassador
使用(し・よう)する　to use　　　使(つか)い方(かた)　way of using/directions for use

271 始 — begin / start — はじ-まる ／はじ-める — シ — (8)

く 女 女 如 始 始 始 始

始(はじ)まる　to start　　　　　開始(かい・し)する　to begin
始(はじ)める　to start something

	漢字	いみ	くんよみ	オンヨミ	（画数）

272 終　end　　　お‐わる　　　シュウ
　　　　　　　　　　お‐える　　　　　　　（11）

く　 乡　 彑　 幺　 糸　 糸　 紗　 紗　 終　 終　 終

終（お）わる　to end　　　　　終電（しゅう・でん）the last train
終（お）える　to finish something　　終点（しゅう・てん）the terminus

273 貸　lend　　　　か‐す　　　　（タイ）
　　　　rent　　　　　　　　　　　　（12）

ノ　 イ　 イ‐　 代　 代　 代　 伐　 貸　 貸　 貸　 貸　 貸

貸（か）す　to lend, to rent
貸（か）し出（だ）し　loaning out

274 借　borrow　　　か‐りる　　　シャク／シャッ‐
　　　　rent　　　　　　　　　　　　（10）

ノ　 イ　 イ‐　 什　 什　 借　 借　 借　 借　 借

借（か）りる　to borrow　　　　借用書（しゃく・よう・しょ）an IOU
借金（しゃっ・きん）　a debt

275 返　return　　　かえ‐る　　　ヘン
　　　　back　　　　かえ‐す　　　　（7）

一　 厂　 反　 反　 返　 返　 返

返（かえ）す　to return　　　　返信（へん・しん）する to reply（by letter）
返事（へん・じ）　an answer

漢字	いみ	くんよみ	オンヨミ	（画数）
276 送	send	おく-る	ソウ	（9）

丶	ソ	ソ	斗	羊	关	关	送	送						

送（おく）る　to send　　　　　　　送別会（そう・べつ・かい）a farewell party
見送（み・おく）る　to see someone off　　送料（そう・りょう）postage

２－２．読み練習

Ⅰ．つぎの漢字の読み方をひらがなで書きなさい。

1. 起きる　　2. 寝る　　3. 立つ　　4. 座る

5. 始まる　　6. 終わる　　7. 借りる　　8. 貸す

9. 返す　　10. 使う　　11. 遊ぶ　　12. 送る

13. 寝室　　14. 国立大学　　15. 貸し出し

Ⅱ．つぎの漢字の読み方をひらがなで書きなさい。

1. このコンピュータの使い方を教えてください。

2. 本の貸し出しは二週間だけです。

3. 先週の送別会の帰りに友だちにかさを借りましたが、今日返しました。

4. あなたの国の子どもはどんな遊びをしますか。

5. この市立図書館は午前 9 時に始まって午後 6 時に終わる。

6. 彼は今寝室で寝ていますから、一時間後に起こしてください。

7. 座席がなくて座れませんでしたから、立って映画を見ました。
せき

2－3．書き練習

I. □にてきとうな漢字を入れなさい。

1. to start (learning) Japanese　　2. to finish one's work

　に　ほん　ご　　はじ　　　　し　ごと　　お

3. to lend a car　　4. to rent a room　　　5. to pay back

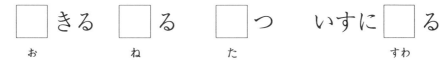

　くるま　　か　　　　へ　や　　か　　　　かね　　かえ

6. to get up　　7. to sleep　　8. to stand　　9. to sit on a chair

　お　　　　ね　　　　た　　　　　すわ

10. to play　　11. to use chopsticks　　12. to send a package

　あそ　　　　　つか　　　　　に　もつ　　おく

Ⅱ．□にてきとうな漢字を入れなさい。

1．the last train　　2．a sleeping car　　3．a seat　　4．a reply

□□　　　　　□台□　　　　□席　　　　□事

しゅう　でん　　　　しん　だい　しゃ　　　　ざ　せき　　　　へん　じ

4．a national university　　6．loaning out　　7．to see someone off

□□□□　　　　　□し□し　　　　□□る

こく　りつ　だい　がく　　　　　か　　だ　　　　　み　おく

8．the opening ceremony　　9．the closing ceremony　　10．an embassy

□業式　　　　　　□業式　　　　　　□□□

し　ぎょうしき　　　　しゅうぎょうしき　　　　たい　し　かん

Ⅲ．つぎの文をてきとうな漢字を使って書きかえなさい。

例．とうきょうえきまでおきゃくをみおくった。

　→東京駅までお客を見送った。

1．そのえいがは、ごぜん11じにかいしして、ごご1じはんにおわる。

2．こどもとゆうえんちにいって、ジェットコースターにのってあそんだ。

3．べいこくのたいしとけいざいのもんだいについてはなしあった。

4．しゃっきんをかえすために、あさおきてからよるねるまではたらいています。

— 18 —

ユニット 3 ────────────────── 読み物

＜一日の生活（せいかつ）＞

Read the following interview script and fill in the chart below.

インタビュアー「あのう、ちょっとお時間をいただけますか。」
　　男の人　「はい。何でしょう。」
インタビュアー「じつは、あなたの一日の生活（せいかつ）についていくつか質問に答えてい
　　　　　　　　ただきたいんですが…。」
　　男の人　「はあ。」
インタビュアー「ええと、毎朝何時ごろ起きます。」
　　男の人　「そうですね。7時ごろかな。」
インタビュアー「朝食は。」
　　男の人　「ほとんど食べないんです。」
インタビュアー「はあ、そうですか。お仕事（しごと　a job）は何時に始まるんですか。」
　　男の人　「ええと、9時です。」
インタビュアー「じゃあ、お宅を出るのは。」
　　男の人　「7時40分ごろ。」
インタビュアー「で、お仕事は何時ごろ終わりますか。」
　　男の人　「5時ですけど、やっぱり会社を出るのは6時ごろになりますね。」
インタビュアー「すると、家へ帰るのは7時半ごろですか。」
　　男の人　「いえ、外で夕食を食べて帰るから、たいてい9時すぎになっちゃうんです。」
インタビュアー「帰宅してから寝るまでの時間はどんなことをしていますか。」
　　男の人　「そう。テレビを見たり本を読んだりですね。」
インタビュアー「で、何時ごろ寝ますか。」
　　男の人　「たいてい11時ごろですね。」
インタビュアー「休みの日にはどこかへ遊びに行ったりしますか。」
　　男の人　「いえ、お金もないし、恋人（こいびと　a lover）もいないし、家でごろご
　　　　　　　　ろして（to idle one's time away）います。」
インタビュアー「どうもありがとうございました。」

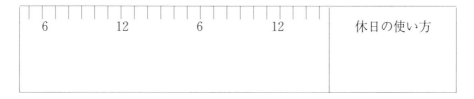

6	12	6	12	休日の使い方

[問題]　上の表（ひょう　a chart）に起きる時間、会社が始まる時間、終わる時
　　　　間、帰宅時間、寝る時間などを書き入れ、ほかにすることも書きなさい。

しっていますか できますか

＜予定表 （A Schedule）＞

*待(ま)ち合(あ)わせ
meeting

提出 （ていしゅつ）
＝出すこと
submission

返却 （へんきゃく）
＝返すこと
return

合宿 （がっしゅく）
a training camp

開始 （かいし）
＝始めること
start

終了 （しゅうりょう）
＝終わること
finish

役に立つ言葉 Useful words

起床 （きしょう）＝起きること　getting up

就寝 （しゅうしん）＝寝ること　going to bed

第25課

日本の結婚式（けっこんしき）（Japanese Wedding Ceremonies）

〔和　式〕（わ　しき）（Japanese style）　　　　〔洋　式〕（よう　しき）（Western style）

花むこ　　　花よめ　　　　　　　花むこ　　　花よめ

結婚までの予定（よてい）（the schedule up to the wedding）

[見合い結婚]（み あ）　　　　　　　[恋愛結婚]（れんあい）
（arranged marriage）　　　　　　　（love marriage）

見合い arrangement　　　　　　　恋愛 love

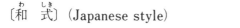

婚約 engagement
　　結納（ゆいのう）a betrothal gift
　　婚約ゆびわ　an engagement ring

結婚式 wedding ceremony

— 21 —

「和（ワ）」 means 'Japanese'. See the following words.

和式（わ・しき）　　　　Japanese style
和服（わ・ふく）　　　　Japanese clothes ＝ 着物
和室（わ・しつ）　　　　Japanese style room
和書（わ・しょ）　　　　Japanese books
和食（わ・しょく）　　　Japanese food
和菓子（わ・が・し）　　Japanese sweets
和歌（わ・か）　　　　　Japanese poetry with 5-7-5-7-7 syllables

「洋（ヨウ）」 means 'Western'.

洋式（よう・しき）　　　Western style
洋服（よう・ふく）　　　Western style clothes
洋室（よう・しつ）　　　Western style room
洋書（よう・しょ）　　　foreign books
洋食（よう・しょく）　　Western food
洋菓子（よう・が・し）　a cake
洋酒（よう・しゅ）　　　foreign liquors
洋画（よう・が)　　　　a foreign film

お祝い　(A gift)

A special envelope with a ceremonial red and white cord is used to make a monetary gift. You write 「御祝（おいわい, a gift）」 or 「寿（ことぶき, felicitations）」 and your name on the envelope.

You may use an envelope with a gold or a silver cord, but the left edge of the envelope must always be red. You should not use a similar kind of envelope which has a green or grey edge, as this is used to make an offering of money to departed spirits. People write 「御霊前（ごれいぜん, to before the spirit of the departed）」 on the envelope and offer it at funerals.

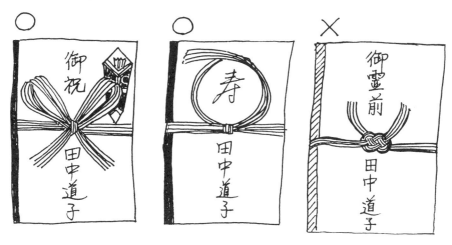

ユニット 2 ──────────────── 第二十五課の基本漢字

2−1．漢字の書き方

漢字	いみ	くんよみ	オンヨミ	（画数）

277 結
connect
conclude — むす-ぶ — ケツ／ケッ- — （12）

く　乡　幺　糸　糸　糸　糸一　紅　結　結　結　結

結（むす）ぶ　to bind, to connect　　　結論（けつ・ろん）　a conclusion
結婚（けっ・こん）する　to get married　　結果（けっ・か）　a result

278 婚
wedding — コン — （11）

く　女　女　女'　女ヒ　女ヒ　婚　婚　婚　婚　婚

結婚（けっ・こん）する　to get married　　新婚旅行（しん・こん・りょ・こう）
婚約（こん・やく）する　to get engaged　　　　　　　　　　a honeymoon

279 離
separate — はな-れる　はな-す — リ — （19）

、　ナ　ナ　夕　区　凶　囚l　囚d　罔　离　离　离　剤l　剤'　剤l'　剤li　剤li

離　離

離（はな）れる　to separate　　　　離（はな）す　to part, to detach
離婚（り・こん）する　to divorce

	漢字	いみ	くんよみ	オンヨミ	（画数）
280	席	seat		セキ	（10）

`　一　广　广　庐　庐　庐　庐　席　席

席（せき）　a seat　　　　　　　指定席（し・てい・せき）　a reserved seat
出席（しゅっ・せき）する　to attend　　座席（ざ・せき）　a seat

	漢字	いみ	くんよみ	オンヨミ	（画数）
281	欠	defect lack	か-ける か-く	ケツ／ケッ-	（4）

ノ　ケ　ケ　欠

欠（か）ける　to be missing, to be short of
欠席（けっ・せき）する　to be absent

	漢字	いみ	くんよみ	オンヨミ	（画数）
282	予	previous preparatory		ヨ	（4）

フ　マ　予　予

予定（よ・てい）　a schedule, a plan　　　予約（よ・やく）する　to reserve
天気予報（てん・き・よ・ほう）　a weather forecast

	漢字	いみ	くんよみ	オンヨミ	（画数）
283	定	fix settle	さだ-まる さだ-める	テイ	（8）

`　丶　广　广　宀　宀　定　定

定食（てい・しょく）　a fixed menu, today's special
定員（てい・いん）　an admission limit　　定期（てい・き）　a commuter's pass

漢字	いみ	くんよみ	オンヨミ	（画数）

284 洋　ocean / occidental　　ヨウ　　（9）

丶　冫　氵　氵　氵　氵　洋　洋　洋

西洋（せい・よう）　the West　　東洋（とう・よう）　the East, the Orient
洋服（よう・ふく）　Western clothes　　洋食（よう・しょく）　Western food

285 式　ceremony / formula, style　　シキ　　（6）

一　二　テ　工　式　式

式（しき）　a ceremony, a formula　　結婚式（けっ・こん・しき）　a wedding
公式（こう・しき）　a formula　　正式（せい・しき）な　formal, official

286 和　peace / sum, Japanese　　（なご-む）　　ワ　　（8）

ノ　二　千　禾　禾　和　和

平和（へい・わ）　peace　　和食（わ・しょく）　Japanese food
和（わ）　harmony, sum, total　　和服（わ・ふく）　Japanese kimono

287 活　vivid / vigor　　（い-き）　　カツ　　（9）

丶　冫　氵　氵　氵　汗　汗　活　活

生活（せい・かつ）　life, living　　活発（かっ・ぱつ）な　active
活字（かつ・じ）　printed type　　活動（かつ・どう）　activity

2－2．読み練習

Ⅰ．つぎの漢字の読み方をひらがなで書きなさい。

1．結婚式　　2．出席する　　3．欠席する　　4．和式　　5．洋式

6．予定　　7．新婚生活　　8．離婚する　　9．定食　　10．西洋料理

Ⅱ．つぎの漢字の読み方をひらがなで書きなさい。

1．兄は二月に婚約して、五月に結婚する。

2．姉は一年前に離婚した。

3．十月十一日に友だちの結婚式に出席する。

4．土曜日は予定があったから、パーティーを欠席した。

5．天気予報を見てから、公園へ行った。
　　てん　　ほう

6．お昼は洋食にしますか、和食にしますか。

7．焼き魚定食にします。　　I'll have the fixed menu with grilled fish.
　や

8　私は今、父や母と離れて生活しています。　　I live away from my
　　　　　　　　　　　　　　　　　　　　　　father and mother.

2－3．書き練習

Ⅰ．□にてきとうな漢字を入れなさい。

1．marriage　　2．divorce　　3．to attend　　　4．to be absent

□□　　　　□□　　　　□□する　　　□□する

けっ　こん　　　　り　こん　　　　しゅっ せき　　　　けっ せき

5．Western food and Japanese food　　6．the East and the West

□□と□□　　　　　　　□□と□□

よう しょく　　わ しょく　　　　　とう　よう　　　せい　よう

7．a fixed menu　　8．a schedule　　9．life, living　　10．a ceremony

□□　　　　□□　　　　□□　　　　□

てい しょく　　　よ　てい　　　せい　かつ　　　しき

Ⅱ．□にてきとうな漢字を入れなさい。

1．to tie a string　　　　2．to leave the country　　3．activity

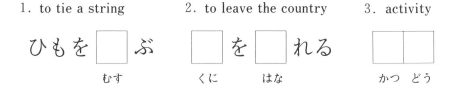

ひもを□ぶ　　　□を□れる　　　□□

むす　　　　くに　　はな　　　かつ　どう

4．Western books　　5．Western liquor　　6．Western style

□□　　　　□□　　　　□□

よう　しょ　　　よう　しゅ　　　よう　しき

7. Japanese style

□□
わ　しき

8. Japanese books

□□
わ　しょ

9. formal

正□な
せい　しき

10. a conclusion

□論
けつ　ろん

11. a result

□果
けっ　か

12. an engagement

□約
こん　やく

13. a honeymoon

□□旅行
しん　こん

14. an admission limit

□員
てい　いん

15. a reserved seat

指□□
し　てい　せき

16. to reserve

□約する
よ　やく

Ⅲ. つぎの文をてきとうな漢字を使って書きかえなさい。

　例. しんぶんは、かつじがちいさくて、よみにくい。

　　→新聞は、活字が小さくて、読みにくい。

　1. こどものがっこうのにゅうがくしきにしゅっせきする。

　2. おたくのおてあらいは、ようしきですか、わしきですか。

　3. らいねんけっこんするよていです。

　4. せんげつせいしきにりこんして、あたらしいせいかつをはじめた。

　5. べんきょうばかりではなく、クラブかつどうもよくやっている。

— 28 —

ユニット 3

<手　紙>

前田洋子様

拝啓　毎日よく雨が降りますね。洋子さんは、お元気ですか。私は、先週かぜを
ひいてしまいました。でも、もう元気になりましたから、だいじょうぶです。日
本の生活は、とても楽しいです。

　さて、きょうは、日本の結婚式についてちょっと質問があります。友だちの日
本人が来月の１０日に結婚します。教会で結婚式をする予定ですから、私も出席
したいと思っています。それで、何かお祝いを持って行きたいのですが、日本人
は友だちが結婚する時、どんなお祝いをあげるのでしょうか。また、洋式の結婚
式は、和式の結婚式とどうちがうのですか。教えてください。

　それでは、返事を待っています。さようなら。

敬具

リー・トンプソン

1992年 6 月 9 日

---

*拝啓（はいけい）　the usual first form of address in a Japanese letter, like 'Dear
　　　　　　　　Sir' in English (Usually some seasonal greeting such as 「さむい
　　　　　　　　ですね。」、「よく雨がふりますね。」and so on follow.)
さて、　Well; Now (The main topic of the letter starts after this conjunction.)
〜について　about 〜; with regard to 〜
〜(sentence in plan form) 予定です。　I'm planning to 〜
お祝(いわ)い　a gift, a present
〜とちがう　to be different from 〜
返事（へんじ）　a reply
敬具(けいぐ)　a common way of ending a Japanese letter, like 'Sincerely yours' in
　　　　　　　English

質問１．この手紙(てがみ)は、だれがだれに書きましたか。

　　　２．リーさんは今病気ですか。

　　　３．リーさんはどうして前田さんに手紙を書きましたか。

　　　４．リーさんの友だちはいつ結婚する予定ですか。

　　　５．リーさんの友だちの結婚式は和式ですか。

　　　６．あなたも友だちに手紙で何か質問してください。

☆◆ 手紙の書き方

①手紙を始めることば：「拝啓（はいけい）」

　　　　　　　　　　　「前略（ぜんりゃく）」etc.

②季節(きせつ)のあいさつ：「さくらの花もさきはじめました。」

　　　　　　　　　　　　「さむい日がつづきますが、」etc.

③相手(あいて)の様子を聞く：「お元気ですか。」

　　　　　　　　　　　　　「おかわりありませんか。」

　　　　　　　　　　　　　「いかがおすごしですか。」etc.

④こちらの様子を書く：「私も元気でがんばっています。」

　　　　　　　　　　　「少しかぜをひきましたが、もうだいじょうぶです。」etc.

⑤本文：「さて」「ところで」などで始めて、知らせ(news)、質問(question)、たのみ
　　　　(request)、おれい(thanks)、おわび(apology)、しょうたい(invitation)など
　　　　を書く。

⑥終わりのあいさつ：「返事を待っています。」「では，お体を大切にしてください。」

　　　　　　　　　　「お目にかかるのを楽しみにしています。」「さようなら」etc.

⑦手紙を終わることば：「敬具（けいぐ）」「草々（そうそう）」etc.

IIIIIIIIIIIIIIIIIIIIIIIIIIII 復 習 IIIIIIIIIIIIIIIIIIIIIIIIIIII
<small>ふく</small> <small>しゅう</small>

Review Lessons 21−25

N：政治　経済　歴史　(教)育　(体)育　(文)化

(化)学　(物)理　科(学)　数(学)　医(学)

問題　宿題　色　映画　写真　音楽

料理　(番)組　洋式　和式　(生)活

A：白い　　黒い　　赤い

V：起きる　寝る　遊ぶ　立つ　座る　使う　始まる

終わる　貸す　借りる　返す　送る　答える　思う

VNする：練習する　勉強する　研究する　留(学)する

質問する　結婚する　離婚する　予定する

(出)席する　欠席する

語構成（2）　Word Structure

Ⅰ.　つぎのことばをいみのあるたんい（meaningful units）に分けなさい。

　　Ex.　図書館　→　図書　／　館
　　　　　　　　　　books　　building ＝ a library

　　　1.　映　画　館　　　→
　　　2.　写　真　屋　　　→
　　　3.　留　学　生　　　→
　　　4.　音　楽　家　　　→
　　　5.　結　婚　式　場　　→
　　　6.　私　立　大　学　　→
　　　7.　政　治　学　部　　→
　　　8.　研　究　所　長　　→
　　　9.　新　婚　生　活　　→
　　10.　新　経　済　問　題　　→
　　11.　英　国　大　使　館　　→
　　12.　歴　史　問　題　研　究　会　→

Ⅱ.　（　　　）にてきとうなひらがなを入れなさい。

　　Ex.　古　新　聞　＝　古　（　　い　）新聞
　　　　　有名大学　＝　有名（　　な　）大学
　　　　　国立病院　＝　国立（　　の　）病院
　　　　　練習問題　＝　練習（　する　）問題
　　　　　歴史研究　＝　歴史（　　を　）研究すること
　　　　　大学入学　＝　大学（　　に　）入学すること

　　　1.　鉄道会社　＝　鉄道（　　　　）会社
　　　2.　工場見学　＝　工場（　　　　）見学
　　　3.　新　住　所　＝　新　（　　　　）住所
　　　4.　買物上手　＝　買物（　　　　）上手

5. 長 電 話 ＝ 　長 （　　　　）電話

6. 電車通学 ＝ 　電車（　　　　）通学

7. 予定時間 ＝ 　予定（　　　　）時間

8. 十時開店 ＝ 　十時（　　　　）開店

9. 勉強部屋 ＝ 　勉強（　　　　）部屋

10. 米国留学 ＝ 　米国（　　　　）留学

11. 白黒写真 ＝ 　白黒（　　　　）写真

12. 大 問 題 ＝ 　大 （　　　　）問題

Ⅲ．　つぎの漢字を①～⑦の動詞（verbs）のグループに分けなさい。

送　返　遊　通　起　疲　座　買　育　着　書　習　思

借　使　住　休　働　作　行　待　持　泳　渡　終　始

読　話　教　飲　歌　帰　降　動　切　困　聞　開　閉

来　見　売　会　食　立　出　入　乗　走　歩　止　寝

① 　～が　Vi

② 　～が　～へ／に　Vi

③ 　～が　～を（place）　Vi

④ 　～が　～を（object）　Vt

⑤ 　～が　～に（person）～を（object）Vt

⑥ 　Both　①　and　④

⑦ 　Others

— 33 —

Ⅳ. （　　）にはんたいのことば（opposite word）を入れなさい。

Ex. 上 ⟷ （ 下 ）

1. 立 つ ⟷ （　　）　　　11. 貸 す ⟷ （　　）

2. 起きる ⟷ （　　）　　　12. 出 る ⟷ （　　）

3. 始まる ⟷ （　　）　　　13. 父 ⟷ （　　）

4. 出 席 ⟷ （　　）　　　14. 兄 ⟷ （　　）

5. 結 婚 ⟷ （　　）　　　15. 妹 ⟷ （　　）

6. 和 式 ⟷ （　　）　　　16. 黒 ⟷ （　　）

7. 地 上 ⟷ （　　）　　　17. 右 ⟷ （　　）

8. 私 立 ⟷ （　　）　　　18. 東 ⟷ （　　）

9. 国 内 ⟷ （　　）　　　19. 北 ⟷ （　　）

10. 病 気 ⟷ （　　）　　　20. 晴 れ ⟷ （　　）

第26課

日本の四季（Japan's Four Seasons）

There are four seasons in Japan ; spring, summer, autumn and winter.
Memorize these Kanji with the corresponding adjectives.

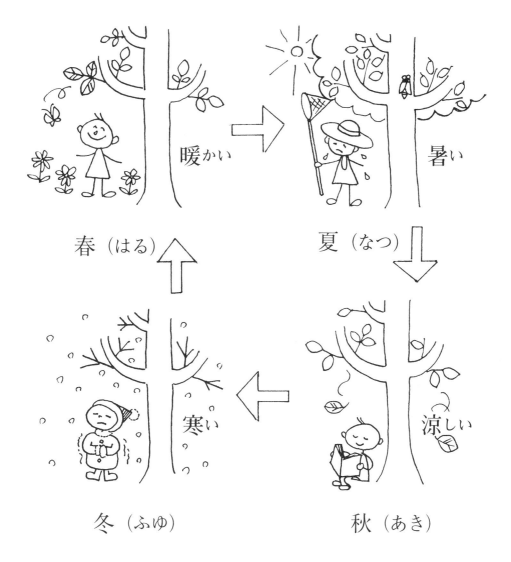

春 （はる）　　　　　夏 （なつ）

冬 （ふゆ）　　　　　秋 （あき）

ユニット 2 ————————————————第二十六課の基本漢字

2－1．漢字の書き方

漢字	いみ	くんよみ	オンヨミ （かくすう）
288 春	spring	はる	シュン （9）

一 二 三 声 夫 夫 春 春 春

春（はる） spring　　　　　春分（しゅん・ぶん）の日 the vernal equinox day
青春（せい・しゅん） youth

289 夏	summer	なつ	カ （10）

一 ㇒ 丆 百 百 百 百 頁 夏 夏

夏（なつ） summer
夏休（なつ・やす）み summer holidays

290 秋	autumn	あき	シュウ （9）

丿 二 千 禾 禾 禾 秒 秋 秋

秋（あき） autumn
秋分（しゅう・ぶん）の日 the autumnal equinox day

漢字	いみ	くんよみ	オンヨミ	（画数）

291 冬　winter　　ふゆ　　　トウ　　（5）

ノ　ク　夂　冬　冬

冬（ふゆ）　winter
冬休（ふゆ・やす）み　winter holidays

292 暑　hot（for climate）　　あつ-い　　　ショ　　（12）

ー　ロ　戸　日　旦　早　星　昇　昇　暑　暑　暑

暑（あつ）い　hot
暑（あつ）さ　heat, hotness

293 熱　hot（for things）　　あつ-い　　　ネツ　　（15）

一　十　士　寺　寺　去　幸　幸　刻　執　執　執　熱　熱　熱

熱（あつ）い　hot　　　　　　熱（ねつ）　fever, heat
熱心（ねっ・しん）な　eager, enthusiastic

294 寒　cold（for climate）　　さむ-い　　　カン　　（12）

丶　宀　宀　宀　宀　宀　寒　寒　寒　寒　寒　寒

寒（さむ）い　cold
寒（さむ）さ　coldness

漢字		いみ	くんよみ	オンヨミ	（画数）
295	冷	cold （for things）	ひ-える／つめ-たい ひ-やす	レイ	（7）

` ｼ ﾝ 冫 冷 冷 冷

冷（つめ）たい　cold, cool　　　　　冷（ひ）やす　to cool, to refrigerate
冷房（れい・ぼう）　air-cooling　　　冷静（れい・せい）な　calm

| 296 | 暖 | warm
（for climate） | あたた-かい | ダン | （13） |

丨 冂 日 日 日´ 日` 日ˊ 日ˇ 昭 昭 昭 暖 暖

暖（あたた）かい　warm
暖房（だん・ぼう）　heating　　　　暖冬（だん・とう）　a mild winter

| 297 | 温 | warm
（for things） | あたた-まる／あたた-かい
あたた-める | オン | （12） |

` ｼ ﾝ 冫 汋 沪 沪 沼 温 温 温 温

温（あたた）かい　warm　　　　　　温度（おん・ど）　temperature
温室（おん・しつ）　a greenhouse　　温泉（おん・せん）　a hot spring

| 298 | 涼 | cool
refreshing | すず-しい | リョウ | （11） |

` ｼ ﾝ 冫 汁 汁 泞 泞 涼 涼 涼

涼（すず）しい　cool

	漢字	いみ		くんよみ		オンヨミ			(画数)
299	天	weather		（あめ／あま-）		テン			（4）

一	二	天	天									

天（あま）の川（がわ）　the Milky Way
天気（てん・き）　the weather　　　　　天国（てん・ごく）　heaven, paradise

2－2．読み練習

Ⅰ．つぎの漢字の読み方をひらがなで書きなさい。

1．暖かい春の日　　　2．寒い冬の日　　　3．暑い夏の日

4．涼しい部屋　　　　5．熱いふろ　　　　6．冷たい水

7．温かいスープ　　　8．天気がいい　　　9．熱がある

Ⅱ．つぎの漢字の読み方をひらがなで書きなさい。

1．暑いから、冷たい飲み物がほしい。

2．きょうはいい天気で暖かいが、きのうは寒かった。

3．夏は海や山など涼しい所へ行きたい。

4．春分の日と秋分の日は休みだ。　The vernal equinox day and the autum-
　　　　　　　　　　　　　　　　nal equinox day are holidays.

5. この図書館には冷房も暖房もある。　air-conditioning and heating

6. 春、夏、秋、冬の中で、いつが一番好きですか。

7. 熱がありますね。体温計で計ってください。　to take your temperature

8. 日本人は夏の暑い時、暑中見舞いのはがきを書く。　to write cards to inquire
after each other's health

2－3. 書き練習

I. □にてきとうな漢字を入れなさい。

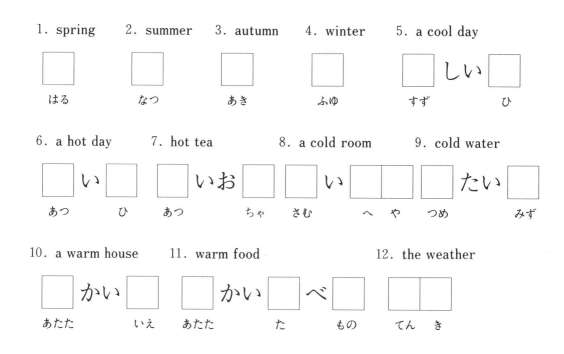

1. spring 2. summer 3. autumn 4. winter 5. a cool day
はる　　　　なつ　　　　あき　　　　ふゆ　　　すず　　　　ひ

6. a hot day 7. hot tea 8. a cold room 9. cold water
あつ　　ひ　　あつ　　ちゃ　　さむ　　へ　や　　つめ　　みず

10. a warm house 11. warm food 12. the weather
あたた　　いえ　　あたた　　た　　もの　　てん　き

Ⅱ. □にてきとうな漢字を入れなさい。

1. four seasons

□□□□
しゅん か しゅう とう

2. summer holidays

□□み
なつ やす

3. winter holidays

□□み
ふゆ やす

4. the vernal equinox

□□
しゅん ぶん

5. the autumnal equinox

□□
しゅう ぶん

6. the Milky Way

□の□
あま　　がわ

7. air-cooling and heating

□房と□房
れい ぼう　だん ぼう

8. to cool 'sake' in the refrigerator

□蔵庫で□を□やす
れい ぞう こ　さけ　ひ

Ⅲ. つぎの（　　）にてきとうな漢字を入れなさい。

1. その女の子は、（　　）に生まれたので、「（　　　）」という（　　　）にしました。
はる　　　　　　　　　　　　　　はる こ　　　　　　な まえ

2. （　　）いときには、（　　）いものを（　　）んだほうがいい。
あつ　　　　　　　あつ　　　　　　の

3. 秋子さんは、（　　）があって、（　　）で（　　）ています。
ねつ　　　　　へ や　　ね

4. （　　）の（　　）は（　　　）で、（　　）が（　　）ない。
こ とし　　ふゆ　　だんとう　　　ゆき　　す く

5. （　　　）予報によると、（　　）のうちは（　　）いが、（　　）ごろから（　　）
てん き よ ほう　　　　あさ　　　　さむ　　　　ひ る　　　　あたた
かくなるそうです。

ユニット 3 ──────────────── 読み物

＜四季＞

<ruby>四<rt>し</rt></ruby> <ruby>季<rt>き</rt></ruby>

つぎの文を読んで、下の表（ひょう　a chart）に書き入れてください。

	春	夏	秋	冬
月 months				
行事 events		海や山へ行く		正　月

日本には季節（きせつ）が四つあり、これを「四季」（しき）という。三月、四月、五月は春である。暖かく、花がきれいな季節で、多くの人が花見に出かける。それから夏が来るが、六月にはよく雨が降る。七月、八月はとても暑い。海や山など涼しい所へ行く人が多い。九月になると、涼しくなり、秋である。月がきれいな季節で、いい天気の時は月見ができる。「読書の秋」、「スポーツの秋」などといい、あちこちの学校ではスポーツ大会が行われる。秋が終わって、十二月ごろから冬が来る。北の地方では雪がたくさん降る。正月から二月ごろが一番寒い。

＊季節（きせつ）　a season 　　　四季（しき）　four seasons
　〜という　We call 〜 　　　　　　〜である　＝　〜だ／です　is 〜
　暖かく、＝暖かくて、 　　　　　　花見　flower viewing
　〜や〜など　〜 and 〜 and so on 　月見　moon viewing
　あちこち　here and there 　　　　大会　a tournament, a meeting
　行（おこな）われる　to be held 　地方　a district
　正月（しょうがつ）　the first days of the New Year

知っていますか できますか

＜年賀状と暑中見舞い＞

　日本人は、正月（しょうがつ）に年賀状（ねんがじょう　a New Year's card)、夏の暑い時に暑中見舞い（しょちゅうみまい　a mid-summer greeting）のはがきを書いて、友人に出します。

年賀状（ねんがじょう）　　　　　暑中見舞い（しょちゅうみまい）

明けましておめでとうございます

昨年中は大変お世話になりました。
本年もよろしくお願い申し上げます。
皆様のご多幸をお祈りいたします。

平成四年元旦

暑中お見舞い申し上げます

お元気でご活躍のことと思います。
おかげ様で私も元気でやっております。
暑さのおり、どうぞご自愛下さい。

一九九二年夏

＊明（あ）けましておめでとうございます。　A Happy New Year
　　c.f.　新年おめでとうございます、謹賀新年（きんがしんねん）、
　　　　　賀正（がしょう）、etc.
　昨年中（さくねんちゅう）　during the last year
　お世話（せわ）になりました　Thank you for your assistance.
　お願（ねが）い申（もう）し上げます　polite form of　お願いします
　皆様（みなさま）　polite form of　皆さん（all of you)
　ご多幸（たこう）　great happiness
　お祈（いの）りいたします　I wish, I pray
　元旦（がんたん）　New Year's Day, the 1st of January
　ご活躍（かつやく）のこと　to be active
　おかげ様で　by everyone's favor, thanks to you　おり＝時　time, when
　ご自愛（じあい）下（くだ）さい　Please take care of yourself.

<十二支 Twelve Animals Used as Names of Years>

1. 子（ね）＝ ねずみ　　　a mouse　　1948　1960　1972　1984　1996
2. 丑（うし）＝ 牛　　　　a cow　　　1949　1961　1973　1985　1997
3. 寅（とら）＝ 虎　　　　a tiger　　1950　1962　1974　1986　1998
4. 卯（う）＝ うさぎ　　　a rabbit　　1951　1963　1975　1987　1999
5. 辰（たつ）＝ 竜　　　　a dragon　1952　1964　1976　1988　2000
6. 巳（み）＝ へび　　　　a snake　　1953　1965　1977　1989　2001
7. 午（うま）＝ 馬　　　　a horse　　1954　1966　1978　1990　2002
8. 未（ひつじ）＝ 羊　　　a sheep　　1955　1967　1979　1991　2003
9. 申（さる）＝ 猿　　　　a monkey　1956　1968　1980　1992　2004
10. 酉（とり）＝ 鳥　　　　a bird　　1957　1969　1981　1993　2005
11. 戌（いぬ）＝ 犬　　　　a dog　　　1958　1970　1982　1994　2006
12. 亥（い）＝ いのしし　　a wild boar　1959　1971　1983　1995　2007

質　問　（1）今年は何年（なにどし）ですか。

　　　　（2）来年は何年（なにどし）ですか。

　　　　（3）あなたは何年（なにどし）ですか。＊「何歳（さい）ですか」のかわり
　　　　　　　　　　　　　　　　　　　　　　にも使います。

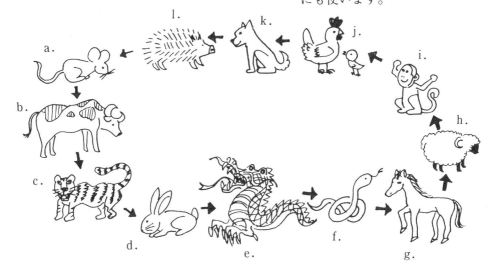

第27課

接辞の漢字 －2－ 仕事（Occupations）

For expressing one's occupation the following suffixes are used.

－者（しゃ）　医者 ＝ 医（い，medicine）＋者　　a doctor

記者 ＝ 記（き，record）＋者　a reporter

学者 ＝ 学（がく，study）＋者　　a scholar

研究者 ＝ 研究（けんきゅう，research）＋者　　a researcher

教育者 ＝ 教育（きょういく，education）＋者　　an educator

－手（しゅ）　歌手 ＝ 歌（か，song）＋手　　a singer

投手 ＝ 投（とう，throw）＋手　　a pitcher

選手 ＝ 選（せん，select）＋手　　a player

運転手 ＝ 運転（うんてん，drive）＋手　　a driver

－員（いん）　議員 ＝ 議（ぎ，conference）＋員　　a member of an assembly

駅員 ＝ 駅（えき，station）＋員　　a station employee

店員 ＝ 店（てん，shop）＋員　a shop clerk

船員 ＝ 船（せん，ship）＋員　　a member of the crew

会社員 ＝ 会社（かいしゃ，company）＋員
　　　　　　　　　　　　　a company employee

銀行員 ＝ 銀行（ぎんこう，bank）＋員　　a bank clerk

図書館員 ＝ 図書館（としょかん，library）＋員　　a librarian

一家（か）　画家 ＝ 画（が, painting）＋家　　a painter

作家 ＝ 作（さっ［さく］, make）＋家　　a writer

小説家 ＝ 小説（しょうせつ, novel）＋家　　a novelist

政治家 ＝ 政治（せいじ, politics）＋家　　a politician

音楽家 ＝ 音楽（おんがく, music）＋家　　a musician

写真家 ＝ 写真（しゃしん, photo）＋家　　a photographer

一屋（や）　　a shop and a shop keeper

本屋 ＝ 本（ほん, book）＋屋　　a book store

米屋 ＝ 米（こめ, rice）＋屋　　a rice store

花屋 ＝ 花（はな, flower）＋屋　　a flower shop and a florist

肉屋 ＝ 肉（にく, meat）＋屋　　butcher

魚屋 ＝ 魚（さかな, fish）＋屋　　a fish shop and a fish monger

酒屋 ＝ 酒（さか［さけ］, liquor）＋屋　　a liquor shop

薬屋 ＝ 薬（くすり, medicine）＋屋　　a pharmacy

写真屋 ＝ 写真（しゃしん, photo）＋屋　　a photo shop

一業（ぎょう）business

工業 ＝ 工（こう, craft）＋業　　industry

商業 ＝ 商（しょう, trade）＋業　　commerce

農業 ＝ 農（のう, farming）＋業　　agriculture

林業 ＝ 林（りん, wood）＋業　　forestry

漁業 ＝ 漁（ぎょ, fishing）＋業　　fishery

ユニット 2 ———————————— 第二十七課の基本漢字

2－1. 漢字の書き方

漢字	いみ	くんよみ	オンヨミ	(画数)

300 仕 serve　　（つか-える）　　シ　　(5)

ノ　イ　イ-　仕　仕

仕(つか)える　to serve　　　　　仕事(し・ごと)　a job, work
仕方(し・かた)　how to, a method

301 事 affair, fact engagement　　こと　　ジ　　(8)

一　丆　丙　写　写　写　写　事

事(こと)　a matter, an affair　　　食事(しょく・じ)　a meal
事故(じ・こ)　an accident　　　用事(よう・じ)　business, an engagement

302 者 person　　もの　　シャ　　(8)

一　十　土　耂　耂　者　者　者

者(もの)　a person　　　　　科学者(か・がく・しゃ)　a scientist
医者(い・しゃ)　a doctor　　　　学者(がく・しゃ)　a scholar

漢字	いみ	くんよみ	オンヨミ	（画数）

303 運 carry / fate　　はこ-ぶ　　ウン　　（12）

一 厂 冖 厗 冔 冔 冒 宣 軍 軍 運 運

運（はこ）ぶ　to carry　　　運（うん）　luck, fortune
運動（うん・どう）　exercise, sports　　運送（うん・そう）　conveyance

304 転 roll / turn　　ころ-ぶ　　テン　　（11）

一 厂 亓 亓 亘 亘 車 軒 転 転 転

転（ころ）ぶ　to fall down　　　運転（うん・てん）する　to drive
自転車（じ・てん・しゃ）a bicycle　　回転（かい・てん）する　to rotate

305 選 select　　えら-ぶ　　セン　　（15）

⁊ 丆 己 己 己 己 吕 珏 珏 珢 巽 巽 巽 選 選

選（えら）ぶ　to select, to choose　　　選挙（せん・きょ）　an election
選手（せん・しゅ）　a player

306 記 record / describe　　（しる-す）　　キ　　（10）

丶 亠 亖 言 言 言 記 記 記 記

記事（き・じ）　an article　　　記入（き・にゅう）する　to fill in
日記（にっ・き）　a diary　　　記者（き・しゃ）　a reporter

	漢字	いみ	くんよみ	オンヨミ	（画数）

307 議　discussion　　　ギ　（20）

、 ー ニ 三 言 言 言 診 診 詳 詳 詳 詳 詳 詳

議 議 議

会議（かい・ぎ）　a conference　　　議会（ぎ・かい）　Parliament
議長（ぎ・ちょう）　a chairman　　　議論（ぎ・ろん）する　to discuss

308 員　member　　　イン　（10）

ノ 口 口 尸 吊 冒 冐 冒 員 員

会員（かい・いん）　a member of an association
定員（てい・いん）　an admission limit　　　店員（てん・いん）　a sales person

309 商　commerce, merchandize　　　ショウ　（11）

、 一 ナ ウ 产 产 产 商 商 商 商

商店（しょう・てん）　a store　　　商売（しょう・ばい）　trade
商品（しょう・ひん）　goods　　　商社（しょう・しゃ）　a trading company

310 業　job, business　　　（わざ）　ギョウ　（13）

ノ リ リ ソ 业 业 世 世 世 芸 芸 業 業

工業（こう・ぎょう）　manufacture　　　商業（しょう・ぎょう）　commerce
農業（のう・ぎょう）　agriculture　　　産業（さん・ぎょう）　industry

漢字	いみ	くんよみ	オンヨミ	(画数)
311 農	farming agriculture		ノウ	(13)

丶	冂	曲	曲	曲	曲	曲	芦	芦	芦	農	農	農			

農村(のう・そん)　a farm village　　　農家(のう・か)　a farm house
農民(のう・みん)　a farmer　　　　　農業(のう・ぎょう)　agriculture

2－2. 読み練習

Ⅰ. つぎの漢字の読み方をひらがなで書きなさい。

　　1. 父の仕事　　　2. 科学者　　　3. 運転手　　　4. 運動する

　　5. テニスの選手　　　6. 新聞記者　　　7. 国会議員　　　8. 工業

　　9. 商業　　　10. 農業　　　11. 会議　　　12. 会社員

Ⅱ. つぎの漢字の読み方をひらがなで書きなさい。

　　1. 春子さんはきのうの晩、外で食事をしました。

　　2. この荷物を自転車で運んでください。

　　3. 秋子さんは医者の仕事を選びました。

　　4. この新聞記事はおもしろいです。

5. あの店員は店の商品についてよくしっています。
ひん

6. 日本はむかし農業国でしたが、今は工業国になりました。

7. 農家の仕事は忙しいです。

8. 私は毎晩寝る前に日記を書いている。

2－3. 書き練習

I. □にてきとうな漢字を入れなさい。

1. to drive a car
□を□□する
くるま　うん　てん

2. to do a job
□□をする
し　ごと

3. to see a doctor
□□に□う
い　しゃ　　あ

4. a tennis player
テニス□□
せん　しゅ

5. a newspaper reporter
□□□□
しん　ぶん　き　しゃ

6. a librarian
□□□□
と　しょ　かん　いん

7. a member of Parliament
□□□□
こっ　かい　ぎ　いん

8. commerce
□□
しょうぎょう

9. agriculture
□□
のう　ぎょう

10. to write a diary
□□を□く
にっ　き　　か

11. a bicycle
自□□
じ　てん　しゃ

12. a sales person
□□
てん　いん

Lesson 27

Ⅱ．□にてきとうな漢字を入れなさい。

1．a conference room　　2．a young man　　3．an article

かい　ぎ　しつ

わか　もの

き　じ

4．a meal　　5．construction　　6．a scholar　　7．a scientist

しょく　じ

こう　じ

がく　しゃ

か　がく　しゃ

8．the station staff　　9．sports　　10．a driver　　11．industry

えき　いん

うん　どう

うん　てん　しゅ

こう　ぎょう

Ⅲ．つぎの（　　）にてきとうな漢字を書きなさい。

1．あしたの（　かいぎ　）で（　ぎちょう　）がえらばれます。

2．そのスポーツ（　せんしゅ　）について（　しんぶん　）に（　きじ　）がある。

3．この（　みち　）は（　こうじ　ちゅう　）中で（　とお　）れません。

4．（　のうぎょう　）は人間の（　せいかつ　）にとって、（　いちばん　）大切なものだと（　おも　）う。

5．きまった（　しごと　）を（　も　）たないで、アルバイトなどをして（　せいかつ　）して
いる人を「フリーター」という。

ユニット **3** ————————————————— 読み物

＜仕事は何ですか。＞

下の文を読んで、その人の仕事を 〜〜〜〜 の中から選んでください。

> 駅員　医者　科学者　新聞記者　社長　音楽家
> 政治家　写真屋　図書館員　運転手　歌手

1. 私はおもしろいニュースをさがして、いつも走り回っています。外国のニュースを速く手に入れることも大切ですから、朝早くから夜遅くまで電話やテレックスを待っていることもあります。

2. 私の仕事は、学校に入学したり結婚したりする人にいい思い出を作ってあげることです。お客さんが写したネガを現像（げんぞう　to develop）することもあります。

3. 私は毎日バスに乗っています。むかしは車掌（しゃしょう　a conductress）といっしょに仕事をしましたが、今は一人ですから、とても疲れます。

4. 私の仕事は、ホームに入ってくる電車のアナウンスをしたり、電車に合図（あいず　a signal）を送ったりすることです。

5. 病気の人を治したり、気分がわるい人に薬をあげたりするのが私の仕事です。大きい病院では働く時間がきまっていますが、小さい医院では病人がいれば、夜中でも見に行かなければなりませんから、たいへんな仕事です。

6. 私は本の中で仕事をしています。町の人たちに本を貸したり、返してもらったり、古くなった本をなおしたりします。読書が大好きですから、家へ帰ってからも、よく本を読みます。

知っていますか　　　できますか

＜いろいろな仕事＞

第28課

テスト問題 （Test Questions）

良い（よい：good）←→ 悪い（わるい：bad）

正しい（ただしい：correct）←→ 間違っている（まちがっている：to be wrong）

同じ（おなじ：same）←→ 違う（ちがう：to differ）

適当な（てきとうな：suitable）←→ 不適当な（ふてきとうな：unsuitable）

難しい（むずかしい：difficult）←→ やさしい（easy）

次の（つぎの：following）

合 計 点

日本語テスト（4）

名前 _____

I ＿＿＿＿の意味として、もっとも適当なものを選びなさい。
　　この本は、やさしい。　（1. kind　2. easy　3. gentle）

II 次の文を読んで正しいものに○、間違っているものに×をつけなさい。
　　（　　）ふじ山が見れる。
　　（　　）ふじ山が見える。
　　（　　）ふじ山が見られる。

III 下の語の中から、正しいものをひとつ選んで、適当な形にして（　　）の中に入れなさい。

やる・あげる・くれる・くださる・もらう・いただく・さしあげる

　1. 弟は、めずらしい切手を持っているので、1まい私に（　　）ました。

IV （　　）の中にはいる適当なことばを次の中から選んで書きなさい。

ぐらい　ほど　より

　1. 暖房がいる（　　）寒くなってきた。
　2. 心配していた（　　）結果はよかった。

V テープを聞いて次の質問に答えなさい。
　　1）スミスさんは、よく音楽会に行きますか。

| ユニット 2 | 第二十八課の基本漢字 |

2−1. 漢字の書き方

漢字	意味	くんよみ	オンヨミ	（画数）

312 良　good　よ-い　リョウ　（7）

`丶 う ヨ ヨ 尸 良 良`

良（よ）い　good　　　　　最良（さい・りょう）　the best
良心（りょう・しん）　conscience

313 悪　bad ill　わる-い　アク　（11）

`一 ｢ 戸 戸 甼 甼 亜 亜 悪 悪 悪`

悪（わる）い　bad　　　　　悪化（あっ・か）する to change for the worse
悪口（わる・くち）　speaking ill of　悪性（あく・せい）の　malignant

314 点　point score　テン　（9）

`丶 ｂ ｂ 占 占 占 点 点 点`

点（てん）　a point　　　　　点数（てん・すう）　the number of points
欠点（けっ・てん）　a fault　　終点（しゅう・てん）　a terminus

	漢字	意味	くんよみ	オンヨミ	（画数）

315 正　correct right　ただ-しい　セイ　ショウ　（5）

一　丁　下　正　正

正（ただ）しい　correct, right　　　正答（せい・とう）　a correct answer
正月（しょう・がつ）　the New Year　　正直（しょう・じき）な　honest

316 違　differ　ちが-う　イ　（13）

丿　ヵ　ヰ　ヰ　吾　吾　茸　韋　聿　韋　韋　違　違

違（ちが）う　to be different　　　違（ちが）い　a difference
間違（ま・ちが）い　a mistake　　　違反（い・はん）　violation

317 同　same　おな-じ　ドウ　（6）

｜　冂　冂　同　同　同

同（おな）じ　same　　　同情（どう・じょう）する　to sympathize
同時（どう・じ）に　at the same time　同意（どう・い）する　to agree

318 適　proper fit　テキ　（14）

丶　亠　亠　宀　啇　啇　啇　商　商　商　啇　滴　適　適

適（てき）した　suitable　　　適応（てき・おう）する　to adapt
適当（てき・とう）な　proper

	漢字	意味	くんよみ	オンヨミ	（画数）

319 当　hit / concerned　　あ-たる　　あ-てる　　トウ　（6）

丨	⺌	⺍	当	当	当									

当（あ）たる　to hit　　　　　　　手当（て・あ）て　medical treatment
本当（ほん・とう）　truth　　　当番（とう・ばん）　duty

320 難　difficult　　むずか-しい　　ナン　（18）

一	十	艹	艹	芦	苫	苩	苩	菓	菓	蓳	勤	斳	斳	斳	難

難														

難（むずか）しい　difficult　　　住宅難（じゅう・たく・なん）　housing shortage
難問（なん・もん）　a difficult problem

321 次　next　　つ-ぐ　　つぎ　　ジ　（6）

⺀	⺀	⺀	次	次	次									

次（つ）ぐ　to be next　　　　　目次（もく・じ）　a table of contents
次（つぎ）　next　　　　　　　次回（じ・かい）　next time

322 形　shape　　かた　　かたち　　ケイ　　ギョウ　（7）

一	二	于	开	开	形	形								

形（かたち）　a shape　　　　　人形（にん・ぎょう）　a doll
形式（けい・しき）　a form

漢字	意味	くんよみ	オンヨミ	（画数）
323 味	taste	あじ あじ-わう	ミ	（8）

㇏	口	口	口⁻	口⁼	口キ	口未	味						

味（あじ）　taste　　　　　　　　　意味（い・み）　meaning
味（あじ）わう　to enjoy the taste　趣味（しゅ・み）　a hobby

2－2．読み練習

Ⅰ．次の漢字の読み方をひらがなで書きなさい。

　　1. 良い　　2. 悪い　　3. 正しい　　4. 難しい　　5. 適当な

　　6. 同じ　　7. 違う　　8. 点　　9. 形　　10. 次　　11. 味

　　12. 目次　　13. 形式

Ⅱ．次の漢字の読み方をひらがなで書きなさい。

　　1. 彼女の趣味は人形を作ることです。

　　2. 次の言葉の意味としてもっとも適当なものを選びなさい。

　　3. 次の文を読んで正しいものに○、間違っているものに×をつけなさい。

　　4. 今、日本で一番難しい問題は、住宅難の問題です。

　　5. テストで悪い点をとって、本当にざんねんだ。次回はがんばろうと思う。

　　6. 人間には良い点があると同時に欠点もある。　　as well as

　　7. 正月にはじめて神社に行くことを「初詣（はつもうで）」という。

2－3．書き練習

I．□に適当な漢字を入れなさい。

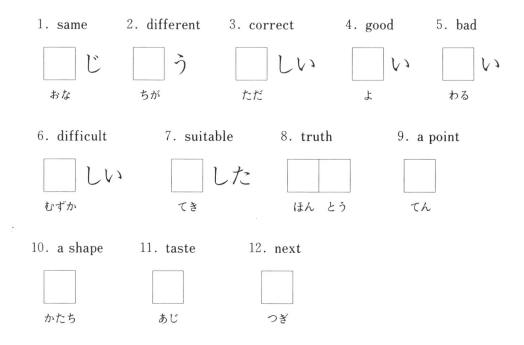

1. same　　2. different　　3. correct　　4. good　　5. bad

　□ じ　　　□ う　　　□ しい　　　□ い　　　□ い

　おな　　　ちが　　　ただ　　　　よ　　　　わる

6. difficult　　7. suitable　　8. truth　　9. a point

　□ しい　　　□ した　　　□□　　　　□

　むずか　　　てき　　　ほん とう　　　てん

10. a shape　　11. taste　　12. next

　□　　　　　□　　　　　□

　かたち　　　あじ　　　　つぎ

II．□に適当な漢字を入れなさい。

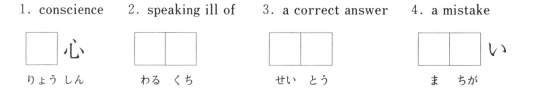

1. conscience　2. speaking ill of　3. a correct answer　4. a mistake

　□ 心　　　　□□　　　　　□□　　　　　　□□ い

　りょう しん　　わる くち　　　せい とう　　　　ま ちが

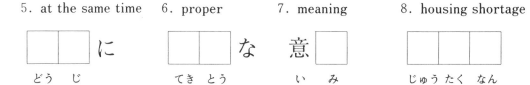

5. at the same time　6. proper　　7. meaning　　8. housing shortage

　□□ に　　　　□□ な　　意 □　　　　□□□

　どう じ　　　　てき とう　　い み　　　　じゅう たく なん

9. difference

☐ い

ちが

10. to change for the worse

☐☐ する

あっ か

11. honest

☐ 直 な

しょうじき

12. a fault

☐☐

けっ てん

13. the number of points

☐☐

てん すう

14. a terminus

☐☐

しゅう てん

15. a doll

☐☐

にん ぎょう

16. the New Year

☐☐

しょう がつ

17. a form, a style

☐☐

けい しき

18. a table of contents

☐☐

もく じ

19. a difficult problem

☐☐

なん もん

Ⅲ. 次の文を適当な漢字を使って書きかえなさい。

1. このでんしゃのしゅうてんは、とうきょうえきです。

2. つぎのぶんとおなじいみのぶんをえらびなさい。

3. このてんすうは、まちがっている。

4. このケーキは、かたちはわるいが、あじはいい。

5. けががあっかしないように、いしゃにいって、てあてをしてもらった。

6. ひとのわるくちをいうのは、よくありません。

ユニット 3 ────────────────────── 読み物

＜テスト＞

　ぼくは大学でテストをうけている。

　となりの真理子さんは赤いセーターを着ている。テストは全部で三問ある。

　難しい問題ではなかった。この前は悪かったので、今度は良い点をとらなければならない。「よし、このテストは大丈夫だ。テストの後で真理子さんをスキーにさそおう。」ぼくは元気を出して問題を読んだ。

　「問題１．次の言葉の意味で正しいものに○、間違っているものに×をつけなさい。」やさしい！　もうできた！

　「問題２．次の文の下線の動詞を適当な形にしなさい。」

　スキーは楽しいだろうな。ぼくと真理子さんは白い雪の中で二人だけだ。

　よし、がんばるぞ。

　「問題３．」なんだ、これは！　これは全部コンピュータのプログラムじゃないか。次のページも、その次のページも。となりを見ると、真理子さんはいない。はっとして起きると、ぼくは会社のコンピュータ室にいた。

　外には白い雪が降っている。今日はクリスマスだ。

　　　＊全部（ぜんぶ）all
　　　　大丈夫（だいじょうぶ）all right　　言葉（ことば）a word
　　　　下線（かせん）　underlining　　　　動詞（どうし）a verb
　　　　がんばる　to do one's best　　　　はっとする　to be startled

質　問　　１．この人の仕事は何ですか。

　　　　　２．どうしてこの人はこんなゆめを見ましたか。

　　　　　３．この人はどんな人だと思いますか。

▢▢▢▢ 知っていますか ▢▢▢▢ できますか ▢▢▢▢

＜原稿用紙（copypaper）の使い方＞

① 一番はじめの文は、1マスあけて書く。段落（だんらく、paragraph）のはじめの
　文も同じ。

② 小さい「っ」や「ゃ」「ゅ」「ょ」も1マスに入れて書く。よこ書きの時とたて書
　きの時の字の位置（いち、position）に注意。

よこ書き
| ち | ょ | う | ど | 食 | 事 | を | 終 | わ | っ | た | 時 | に | 、 | 来 |

たて書き
（たて書き例）

③ 「、」や「。」、かぎかっこ（「　」）などの記号（『　』, 〈　〉, ・, ―, etc.）
　も1マスに入れて書く。たてに書く時は、記号の向きに注意。

よこ書き
| 「 | い | い | え | 、 | そ | う | で | は | あ | り | ま | せ | ん | 。」 |

たて書き
（たて書き例）

④ 「、」や「。」は、行の先頭に書かない。前の行のマスの外に書く。

○良い例
| 朝 | 6 | 時 | ご | ろ | 起 | き | て | 、 | 公 | 園 | へ | 行 | っ | た | 。 |
| そ | し | て | 、 | ジ | ョ | ギ | ン | グ | を | し | て | か | ら | 、 | |

×悪い例
（たて書き例）

⑤ アルファベットの数字の書き方。

よこ書き
| ガ | ン | ジ | ー | （ | Gandhi | ） | は | 1 | 8 | 6 | 9 | 年 |

たて書き
（たて書き例）

第29課

ユニット 1 ———————————————— 漢字の話

入学試験（An Entrance Examination）
<ruby>入<rt></rt></ruby>（にゅうがく し けん）

書類（＝願書）を出す
⇩
受験票を受け取る
（ひょう）
⇩
試験を受ける
⇩
面接を受ける
⇩
結果 ── 合格………試験に受かる
　　　 └ 不合格……試験に落ちる
　　　　　　　　　（残念！）

国費	私費	その他

⑱1
○○大学大学院受験票

受験番号	※	

志望		研究科
		専攻

氏名	

受　験　科　目		
外国語等	専門科目	関連科目
1		
2		基礎科目
3		

写真貼付
（5cm×6cm）

サ　第三学群　情報学類

科　目	試験時間	備　　　　　　　考
小　論　文	90 分	日本語又は英語で論述する。（事前選択）
面　　接		個別面接

(6)　物理学研究科

月日	9月12日　（月）			9月13日　（火）		
科目	専門科目		関連科目	外国語	第1次試験 合格者発表	第2次試験 口述試験
専攻　時間	10:00～12:00	13:00～15:00	15:30～17:00	10：00～11：00	12：00	13：00～17：00
物理学	物理学Ⅰ	物理学Ⅱ	数　学	英　語 （英文和訳 和文英訳）		精密検診 15：00～17：00 （該当者のみ）

ユニット 2 ──────────── 第二十九課の基本漢字

2－1. 漢字の書き方

漢字	意味	くんよみ	オンヨミ	(画数)

324 試　try / test　こころ-みる　ため-す　シ　(13)

丶 一 亠 三 言 言 言 訂 訂 訂 試 試

試（こころ）みる　to try　　試合（し・あい）　a game
試（ため）す　to test　　試着室（し・ちゃく・しつ）　a dressing room

325 験　proof / examine　ケン　(18)

丨 厂 厂 厈 厍 馬 馬 馬 馬 馬 馬 馬 馬 験 験 験 験

験

試験（し・けん）　an examination　　経験（けい・けん）する　to experience
実験（じっ・けん）する　to experiment

326 面　face / surface　（おもて）　おも-　メン　(9)

一 ニ ア 万 面 面 面 面 面

面白（おも・しろ）い　interesting　　～方面（ほう・めん）in the direction of ～
面接（めん・せつ）する　to interview

漢字	意味	くんよみ	オンヨミ	（画数）

327 接　connect　（つ-ぐ）　セツ　（11）

一　十　扌　扌　扩　扩　护　护　按　按　接

接（つ）ぐ　to connect　　　直接（ちょく・せつ）　direct(ly)
面接（めん・せつ）　an interview　　間接（かん・せつ）　indirect(ly)

328 説　explain　（と-く）　セツ　（14）

丶　亠　言　言　言　言　言　訁　訁　訠　説　説　説

説明（せつ・めい）する　to explain
小説（しょう・せつ）　a novel

329 果　fruit
result　（は-たす）　カ　（8）

一　口　日　日　旦　甲　果　果

結果（けっ・か）　a result　　　効果（こう・か）　an effect
＊果物（くだ・もの）　fruit

330 合　suit
combine　あ-う
あ-わす　ゴウ
ガッ-　（6）

ノ　人　合　合　合　合

合（あ）う　to suit　　　　　合宿（がっ・しゅく）　a training camp
話（はな）し合（あ）う　to consult　　合計（ごう・けい）　a total

漢字	意味	くんよみ	オンヨミ	（画数）

331 格　structure frame, rank　　カク　　（10）

一　十　才　木　朩′　朩ク　杦　枚　格　格

合格（ごう・かく）する　to pass　　　性格（せい・かく）　character
資格（し・かく）　a qualification

332 受　receive　　う－かる　　ジュ
　　　　　　　　　　う－ける　　　　（8）

ノ　く　ぐ　☲　☲　☲　☲　受

受（う）ける　to receive　　　　受験（じゅ・けん）する　to take an exam.
受付（うけ・つけ）reception　　受話器（じゅ・わ・き）　a tel. receiver

333 落　fall drop　　お－ちる　　ラク
　　　　　　　　　　お－とす　　　　（12）

一　十　サ　サ　サ　☲　艻　茫　茨　茨　落　落

落（お）ちる　to fall　　　　落第（らく・だい）する　to fail (in an exam.)
落（お）とす　to drop

334 残　remain　　のこ－る　　ザン
　　　　　　　　　　のこ－す　　　　（10）

一　ア　万　歹　歹′　歹＝　歼　残　残　残

残（のこ）す　to leave　　　　残高（ざん・だか）　balance, remainder
残（のこ）る　to remain　　　　残業（ざん・ぎょう）　overtime work

漢字	意味		くんよみ	オンヨミ	（画数）

335
| 念 | sense
desire | | | ネン | （8） |

ノ	人	今	今	今	念	念	念						

| | | | | | | | | | | | | |

記念（き・ねん）　memory, a mements
残念（ざん・ねん）な　regrettable

2－2．読み練習

Ⅰ．　次の漢字の読み方をひらがなで書きなさい。

1．経験　　　2．試験　　　3．面接する　　　4．説明する　　　5．結果

6．試合　　　7．合格する＝試験に受かる　　　8．受験する＝試験を受ける

9．試験に落ちる　　　10．残念だ　　　11．残る　　　12．合う

Ⅱ．　次の漢字の読み方をひらがなで書きなさい。

1．化学の実験をして、面白い結果が出た。
　　　　じっ

2．東京方面行きの電車は3番ホームから出る。

3．友だちと今後の予定について話し合った。

4．私は来年の二月に大学院の試験を受けます。

5．弟は去年私立の高校に合格した。
　　　きょ

— 68 —

6. 水曜日のバスケットボールの試合は残念な結果に終わった。

7. 残りのお金は合計1万5千円になります。

8. 広島へ行った時の記念写真をどこかで落としてしまった。

2－3．書き練習

Ⅰ． □に適当な漢字を入れなさい。

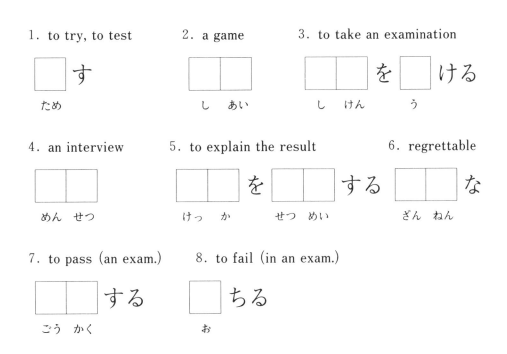

1. to try, to test
　□す
　ため

2. a game
　□□
　し　あい

3. to take an examination
　□□を□ける
　し　けん　う

4. an interview
　□□
　めん　せつ

5. to explain the result
　□□を□□する
　けっ　か　せつ　めい

6. regrettable
　□□な
　ざん　ねん

7. to pass (an exam.)
　□□する
　ごう　かく

8. to fail (in an exam.)
　□ちる
　お

Ⅱ． □に適当な漢字を入れなさい。

1. an experiment
　実□
　じっ　けん

2. experience
　□□
　けい　けん

3. interesting
　□□い
　おも　しろ

4. a direction

[ ]
ほう めん

5. a qualification

資[ ]
し かく

6. an effect

効[ ]
こう か

7. indirectly

[ ]
かん せつ

8. directly

直[ ]
ちょくせつ

9. to consult

[ ]し[ ]う
はな あ

10. to put together

[ ]わせる
あ

11. a total

[ ]
ごう けい

12. reception

[ ]付
うけ つけ

13. to take an exam.

[ ]する
じゅ けん

Ⅲ. 次の（　）に適当な漢字を書きなさい。

1. この（しょうせつ）は（ほんとう）に（おもしろ）い。

2. （わか）いときに、外国でいろいろな（けいけん）をしたい。

3. 日本の（かいしゃいん）は（よる）（おそ）くまで（ざんぎょう）をするらしい。

4. （きもの）を買う前に、（しちゃくしつ）で（き）てみます。

5. （ゆうめい）な（かいしゃ）の（めんせつ）（しけん）を（う）けたが、（けっか）は（ざんねん）ながら（ふごうかく）だった。

— 70 —

ユニット 3		読み物

<受験すごろく　（Game: Sitting for an Examination)>

（受験＝じゅけん）

　まず、学生の名前を書いたコマ（a piece）を作ります。そして、下のチャートを大きくコピーして使って下さい。始めの人からさいころをふって（cast a dice）、目の数だけすすみます。止まった所の文が読めなければ、3つもどって、そこの文を読んでください。「面接」のカードは先生が作っておきます。面接で漢字カードが読めなかったら、次の番の時にもう一度チャレンジしてください。3回だめだったら、不合格です。

スタート　↓

⑲ 面接　漢字のカードが読めれば、合格です　↓

⑱ 1から4が出れば面接を受ける

⑰ 国へ帰るので ⑦へもどる

⑯ 友だちの結婚式に出席する ⑨へもどる

残念でした！★不合格　↑　次に5の人

①外国音楽を聞く

②面白い映画を見る

③車を運転する

④日本の小説を読む

⑤ラッキー ⑩に行ける！

⑥熱がある！！　漢字が読めても、1回休まなければなりません。

☆☆☆☆☆☆☆☆☆
☆ 合格 ☆
☆☆☆☆☆☆☆☆☆
おめでとう

⑮ 試験を受ける

⑭先生に電話をかける　次に6が出れば、⑲へ

⑬ 病気　入院して1回休み　休んだ後で4が出れば、⑱へ行ける

⑫ 図書館で勉強する　次に1が出れば ⑮へすすめる

⑪ テレビのスポーツ番組を見る

⑩ 熱いお茶を飲む

⑨ 料理を作る

⑧ 説明書を読む

⑦ 写真を写す

　「すごろく」は日本人の子どもがお正月によく遊ぶゲームです。みなさんも、新しい漢字の「すごろく」を作ってみてください。

知っていますか　　できますか

＜ 申込書の書き方　（How to Fill in a Form）＞
（もうしこみしょ）

フリガナ			性　別	生年月日
お名前		様	男・女	M・T・S ・　・
フリガナ				
ご住所				
ご連絡先 ☎	自宅	（　　）	勤務先	（　　）

定期券（ていきけん）
　a pass

購入（こうにゅう）
　buying

申込書（もうしこみしょ）
　an application form

定期券購入申込書

○氏名欄は、わくの中にはっきりと大きく書いて下さい。
○空欄に記入又は該当のものを○で囲んで下さい。
○お手もとの定期券は発行窓口へお渡し下さい。

氏　　名		区　間	駅　　　　　　駅間
殿	男女 才		（　　　　　　　経由）
		使用開始日 及び有効期間	平成　　年　　月　　日から　　箇月

住　　所			電話（　　）
勤務先 又は 用務地	所在地		このわく内には記入しないでください。
	名称	電話（　　）	種　類　　通勤　通学　グリーン

名前（なまえ：name）＝氏名（しめい）
～様（さま：Miss, Mr., Mrs., Ms.）＝～殿（どの）
性別（せいべつ：sex）
住所（じゅうしょ：address）
連絡先（れんらくさき：contact address)
自宅（じたく：one's home）
勤務先（きんむさき：one's work）
所在地（しょざいち：location）
名称（めいしょう：name）
区間（くかん：section）
経由（けいゆ：via）
使用開始日（しようかいしび：beginning date）
及び（および：and）

第30課

部首 −5− （Radicals −5−）

[さんずい：
　　水を意味する部首]

1. 深い
2. 泳ぐ
3. 流れる
4. 洗う
5. 消す

[てへん：手を意味する部首]

1. 指さす
　　指す

2. 折る

3. 払う

4. 接ぐ

5. 投げる

6. 打つ

7. 持つ

8. 押す

ユニット 2 ──────────────── 第三十課の基本漢字

2－1. 漢字の書き方

漢字	意味	くんよみ	オンヨミ	（画数）

336 指 — finger / point out — ゆび / さ-す — シ — （9）

一 ナ ナ ガ ガ ガ 指 指 指

指（ゆび）a finger   指定席（し・てい・せき）a reserved seat
指（さ）す to point at

337 折 — fold / break — お-る — セツ — （7）

一 ナ ナ ガ ガ 折 折

折（お）る to fold, to break   折（お）り紙（がみ）paper folding
右折（う・せつ）right turn   左折（さ・せつ）left turn

338 払 — pay — はら-う — （5）

一 ナ ナ 払 払

払（はら）う to pay   前払（まえ・ばら）い payment in advance
支払（し・はら）い payment

	漢字	意味	くんよみ	オンヨミ	（画数）

339 投　throw / cast　　な-げる　　トウ　　（7）

一 十 扌 扩 扠 投 投

投（な）げる　to throw　　　　投資（とう・し）する　to invest
投書（とう・しょ）する　to send a letter to the editor

340 打　strike / hit　　う-つ　　ダ　　（5）

一 十 扌 扩 打

打（う）つ　to hit　　　　打楽器（だ・がっ・き）　a percussion instrument
打（う）ち合（あ）わせ　a preliminary meeting

341 深　deep　　ふか-い　　シン　　（11）

丶 氵 氵 氵 沪 沪 浬 涇 深 深 深

深（ふか）い　deep
深夜（しん・や）　midnight

342 洗　wash　　あら-う　　セン　　（9）

丶 氵 氵 氵 沪 洪 洗 洗 洗

洗（あら）う　to wash　　　　洗剤（せん・ざい）　detergent
洗面所（せん・めん・じょ）＝お手洗（て・あら）い　a washroom, a toilet

漢字	意味	くんよみ	オンヨミ	(画数)

343 流　stream　なが-れる　リュウ
なが-す　(10)

` ⼂ ⼁ ⼆ ⼆ ⼆ ⼆ 流 流 流

流(なが)れ　a stream　　　　流行(りゅう・こう)　fashion
流(なが)れる　to stream　　　流通(りゅう・つう)する　to circulate

344 消　diminish　き-える　ショウ
erase　け-す　(10)

` ⼂ ⼁ ⼆ ⼁ ⼆ 沪 消 消 消

消(き)える to disappear　　消費(しょう・ひ)する to consume
消(け)す to remove　　　　消火(しょう・か)する to extinguish fire

345 決　determine　き-まる　ケツ/ ケッ-
き-める　(7)

` ⼂ ⼁ 汀 江 汻 決

決(き)める　to decide　　　　決定(けっ・てい)する　to determine
決心(けっ・しん)する　to make up one's mind

2－2．読み練習

Ⅰ．次の漢字の読み方をひらがなで書きなさい。

1. 打つ　　2. 投げる　　3. 折る　　4. 払う　　5. 洗う

6. 消える　　7. 決まる　　　8. 流れる　　9. 深い　　10. 指

11. 右折　12. 左折　　13. 指定席　　14. 深夜　　15. 洗面所

Ⅱ. 次の漢字の読み方をひらがなで書きなさい。

1. 毎月1万円ずつ払って、新しい車を買うことに決めた。

2. 投資ブームについて新聞に投書した。

3. 寝る前に電気を消してください。

4. そこは右折できませんから、左折してください。

5. 朝から晩まで洗たくをして、指が痛くなった。

6. 投手がカーブを投げて、打者がホームランを打った。

7. 深い海に住む魚はどんな色をしていますか。

8. 山で降った雨の水は川を流れて海に入る。

２－３．書き練習

I. □に適当な漢字を入れなさい。

1. to hit a nail

くぎを□つ
　　　う

2. to throw a ball

ボールを□げる
　　　　　な

3. to pay money

お□を□う
　かね　はら

4. to bend one's fingers

□を□る
ゆび　お

5. to wash one's hands

□を□う
て　　あら

6. a stream

□れ
なが

7. deep

□い
ふか

8. to decide the plan

□□を□める
けい かく　き

9. to turn off the light

□□を□す
でん き　　け

II. □に適当な漢字を入れなさい。

1. payment

支□い
　しはら

2. payment in advance

□□い
まえ ばら

3. a preliminary meeting

□ち□わせ
う　　あ

4. to turn left＝left turn

□に□れる＝□□
ひだり　お　　さ せつ

5. to turn right＝right turn

□に□れる＝□□
みぎ　　お　　う せつ

6. a reserved seat

□□□
し　てい　せき

7. to invest

□資する
とう　し

8. to write a letter to the paper

□□に□□する
しん　ぶん　　とう　しょ

9. a washroom

□□□
せん　めん　じょ

10. midnight

□□
しん　や

11. Black is in fashion.

□が□□している。
くろ　　りゅうこう

12. the circulation of goods

□品の□□
しょう　ひん　　りゅうつう

13. to decide

□□する＝□める
けっ　てい　　き

Ⅲ．　次の文を適当な漢字を使って書きかえなさい。

1．ゆびをおって、かずをかぞえる。

2．とっきゅうのしていせきのりょうきんをはらった。

3．まいあさせんめんじょでかおをあらう。

4．いまりゅうこうのいろのセーターにきめました。

5．ごご3じから5かいのかいぎしつでうちあわせをおこないます。

6．けさのしんぶんにおもしろいとうしょがあった。

7．このかわはふかくて、ながれがきゅうです。

ユニット 3 ──────────────────── 読み物

＜指の話＞

　手を見てください。指が五本ありますね。日本語では、一番大きい指を「親指」といいます。その次の指は「人さし指」です。人を指す時に使うからです。一番小さい指を「小指」、まん中の指を「中指」といいます。中指と小指の間にあるのは「薬指」です。薬をつける時に使うからです。日本では、結婚している女の人は左手の薬指に指輪（ゆびわ a ring）をしていることが多いです。

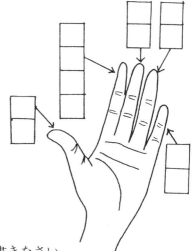

質 問 1．　絵(え)を見て、指の名前を書きなさい。

2．　あなたの国ではこの五本の指を何といいますか。

3．　日本では数を数える時、指を使います。１から１０まで数える時は１で親指を折って、２で人さし指、３で中指、４で薬指を折り、５でぜんぶ折ります。次に、６で小指を広げます。７で薬指、８で中指、９で人さし指と広げていき、１０で指をぜんぶ広げます。あなたの国ではどうやって数えますか。

4．　次の指の形はどんな意味(いみ)でしょうか。

　　a. 　　　　b. 　　　　c.

復　習

Review Lessons 26－30

N ：春　　　夏　　　秋　　　冬　　　天(気)
　　熱　　　温(度)　仕事　　医者　　記者
　　運転(手)　議員　　商業　　農業　　工業
　　会議　　(本)当　(間)違い　点　　　次
　　形　　　味　　　指　　　(意)味　試験
　　試合　　(結)果

A ：暑い　　熱い　　寒い　　冷たい　面白い
　　暖かい　温かい　涼しい　良い　　悪い
　　正しい　難しい　深い

NA ：適当な　　残念な

V ：冷やす　受ける　落ちる　残る　　流れる　消す
　　決める　指す　　折る　　投げる　打つ　　払う
　　洗う　　選ぶ　　違う　　当たる　合う

VNする ：(食)事する　　運転する　　　(記)入する
　　　　　面接する　　説(明)する　　合格する
　　　　　決(定)する　流(行)する　　(経)験する

Others ：同じ

Ⅰ．次の漢字語は、「する」をつけて動詞として使うことができますか、「な」をつけて
　形容詞として使うことができますか。両方できない時は、「×」と書きなさい。

1．適当（　　　）　　　11．意味（　　　）

2．試験（　　　）　　　12．決定（　　　）

3．左折（　　　）　　　13．同意（　　　）

4．洗面（　　　）　　　14．残念（　　　）

5．結果（　　　）　　　15．受験（　　　）

6．指定（　　　）　　　16．形式（　　　）

7．面接（　　　）　　　17．消火（　　　）

8．困難（　　　）　　　18．冷静（　　　）

9．流行（　　　）　　　19．仕事（　　　）

10．記事（　　　）　　　20．運転（　　　）

Ⅱ．次の形容詞のペアを書きなさい。

ex. 長い　（　　短い　）

1．正しい　（　　　　）

2．難しい　（　　　　）

3．悪い　（　　　　）

4．温かい　（　　　　）

5．深い　（　　　　）

6．寒い　（　　　　）

7．涼しい　（　　　　）

Ⅲ. 似(に)ている漢字　Similar-looking Kanji

次の□に漢字を書きなさい。

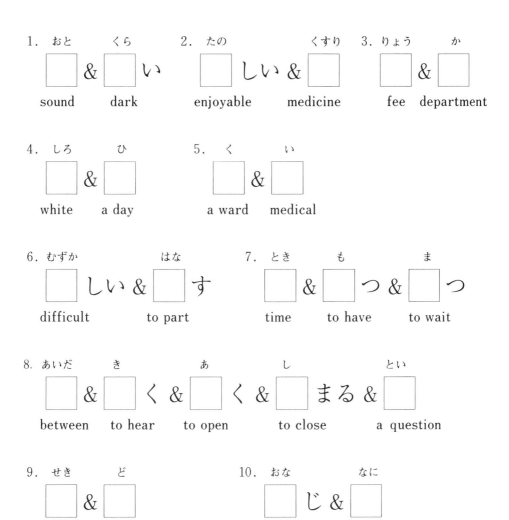

1. おと　くら
□ & □ い
sound　dark

2. たの　くすり
□ しい & □
enjoyable　medicine

3. りょう　か
□ & □
fee　department

4. しろ　ひ
□ & □
white　a day

5. く　い
□ & □
a ward　medical

6. むずか　はな
□ しい & □ す
difficult　to part

7. とき　も　ま
□ & □ つ & □ つ
time　to have　to wait

8. あいだ　き　あ　し　とい
□ & □ く & □ く & □ まる & □
between　to hear　to open　to close　a question

9. せき　ど
□ & □
a seat　a degree

10. おな　なに
□ じ & □
same　what

Ⅳ. 同じ音(おん)の漢字　Kanji of the same 'ON' reading

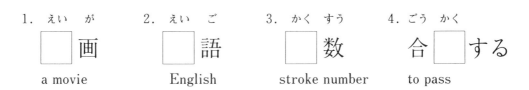

1. えい　が
□ 画
a movie

2. えい　ご
□ 語
English

3. かく　すう
□ 数
stroke number

4. ごう　かく
合 □ する
to pass

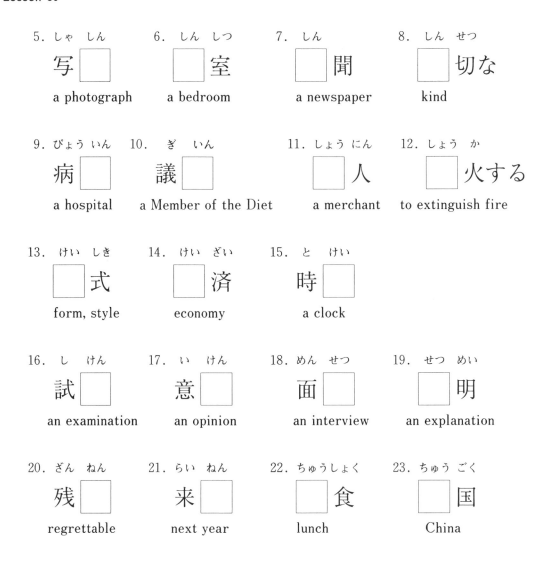

5. しゃ しん
写□
a photograph

6. しん しつ
□室
a bedroom

7. しん
□聞
a newspaper

8. しん せつ
□切な
kind

9. びょう いん
病□
a hospital

10. ぎ いん
議□
a Member of the Diet

11. しょう にん
□人
a merchant

12. しょう か
□火する
to extinguish fire

13. けい しき
□式
form, style

14. けい ざい
□済
economy

15. と けい
時□
a clock

16. し けん
試□
an examination

17. い けん
意□
an opinion

18. めん せつ
面□
an interview

19. せつ めい
□明
an explanation

20. ざん ねん
残□
regrettable

21. らい ねん
来□
next year

22. ちゅうしょく
□食
lunch

23. ちゅう ごく
□国
China

ほかにも音読みが同じ漢字はたくさんあります。この本の終わりに「音訓さくいん」がありますから、さがしてみましょう。

第31課

ユニット 1 ——————————————————漢字の話

旅行（Travel）
<small>りょこう</small>

◇ 新幹線特急券・新婚旅行・グループ
　旅行・ホテル・航空券のご予約と旅
　のご相談は駅の旅行センターへどう
　ぞ。

◇ 1泊2日（いっぱくふつか）
　日帰り（ひがえり）
　〜発（はつ）
　〜着（ちゃく）

山 中 温 泉

● 1泊2日 ／ 特急指定席または自由席
● 出 発 日 ／ 9月1日〜11月30日

日程	コース	食事
1	東京駅発 ＝＝＝（新横浜）＝＝＝（名古屋）＝＝ ———— 加賀温泉駅 ———— 山中温泉（泊）	夕
2	山中温泉 ———— 加賀温泉駅 ＝（名古屋）＝ ＝＝（新横浜）＝＝＝ 東京駅着	朝

旅行代金（1 名様）

		JR利用	
		平日・休日発	休前日発
おとな	4・5名1室	37,600円	41,000円
	3 名 1 室	39,800円	43,200円
	2 名 1 室	43,000円	46,400円
こども	3〜5名1室	22,400円	24,600円

日帰り
添乗員同行

夕食1回付

鎌倉 花の寺めぐりと港ヨコハマ中国料理フルコース

▶旅行代金／おとな1名は 8,300円より
こども1名は 7,800円より

新幹線うりば
JR全線・定期券・回数券・トクトクきっぷ
JR東日本

旅のご相談
新婚旅行・団体旅行・ホテル
旅館・航空券・プレイガイド
JR東日本

ユニット 2 ──────────── 第三十一課の基本漢字

2-1. 漢字の書き方

漢字	意味	くんよみ	オンヨミ	（画数）

346 旅　travel　　　たび　　　リョ　　　(10)

丶 ㇒ 方 方 方 方 旅 旅 旅

旅（たび）　a trip　　　　　　旅費（りょ・ひ）　traveling expenses
旅行（りょ・こう）する to travel　　旅館（りょ・かん）　an inn

347 約　promise approximate　　　ヤク　　　(9)

く 幺 幺 糸 糸 糸 約 約 約

約束（やく・そく）する to promise　　約（やく）〜　about 〜
予約（よ・やく）する to reserve　　婚約（こん・やく）　an engagement

348 案　idea well-informed　　　アン　　　(10)

丶 丷 宀 宀 安 安 安 宰 案 案

案（あん）　an idea, a proposal　　案内（あん・ない）する　to guide
名案（めい・あん）　a good idea

漢字	意味	くんよみ	オンヨミ	（画数）

349 準　level / semi-　　ジュン　（13）

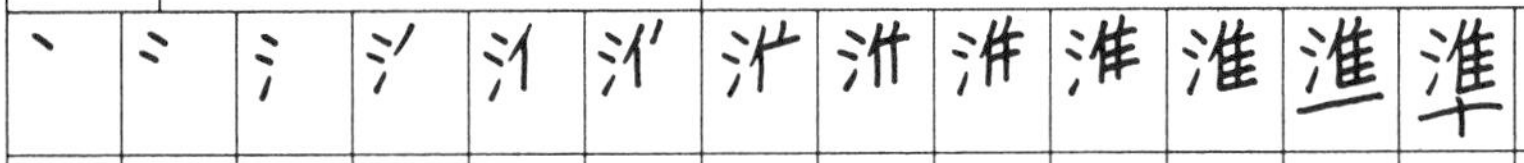

丶 �ゝ ⺡ ⺡ 汁 汁 沣 沖 沖 淮 淮 淮 準

準備（じゅん・び）する to prepare　　水準（すい・じゅん） a standard
準急（じゅん・きゅう）a local express

350 備　provide　（そな-わる）（そな-える）　ビ　（12）

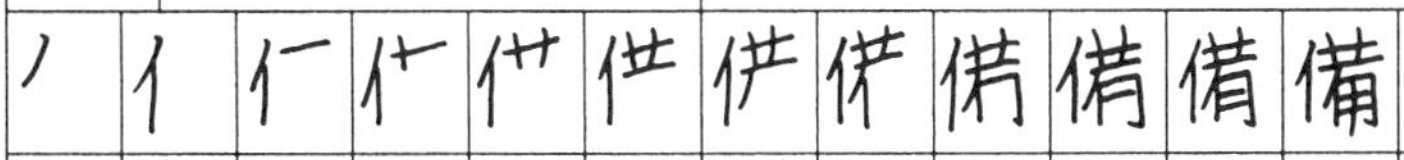

ノ イ 亻 仁 什 件 件 佈 備 備 備 備

備（そな）わる to be provided　　設備（せつ・び） equipment
備（そな）える to provide

351 相　face to face / minister　あい　ソウ / -ショウ　（9）

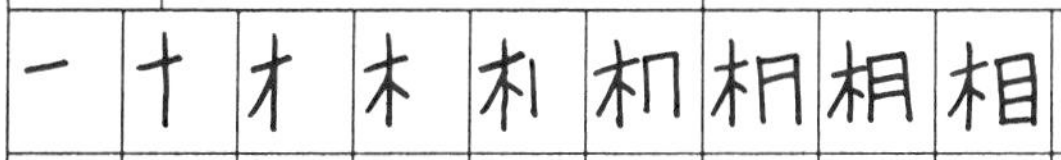

一 十 オ 木 杧 朾 相 相 相

相手（あい・て）　an opponent, a partner
相談（そう・だん）する to consult　　首相（しゅ・しょう）　a Prime Minister

352 談　talk　　ダン　（15）

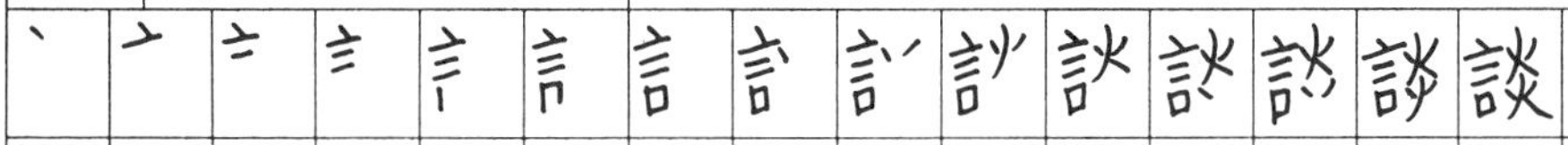

丶 ㇐ 三 言 言 言 言 言 訃 談 談 談 談 談

対談（たい・だん）　a face to face talk
会談（かい・だん）する to hold a conference

漢字	意味	くんよみ	オンヨミ	（画数）

353 連　pair / link　（つら-なる）/つ-れる　レン　（つら-ねる）　(10)

一 厂 冂 丐 自 亘 車 車 連 連

連（つら）なる　to stand in a row　　　国連（こく・れん）　the United Nations
連（つ）れていく　to take　　　連日（れん・じつ）　day after day

354 絡　tangle　（から-まる）　ラク　（から-む）　(12)

く 乡 幺 糸 糸 糸 紆 紒 終 終 絡 絡

絡（から）まる　to entwine
連絡（れん・らく）する　to contact, to inform

355 泊　lodge / stay　と-まる　ハク／-パク　と-める　(8)

丶 冫 氵 汀 汩 泊 泊 泊

泊（と）まる　to stay the night　　　～泊（はく）する　to stay ～ nights
宿泊（しゅく・はく）する　to stay the night

356 特　special　トク／トッ-　(10)

丿 牛 牛 牛 牛 牜 特 特 特 特

特（とく）に　specially　　　特急（とっ・きゅう）　a special express
特別（とく・べつ）な　special

— 88 —

漢字	意味	くんよみ	オンヨミ	（画数）
357 急	quick hurry	いそ-ぐ	キュウ	（9）

ノ	ク	タ	⼅	⼅	⼅	急	急	急							

急(いそ)ぐ to hurry   急用(きゅう・よう)　urgent business
急(きゅう)に suddenly   急行(きゅう・こう)　an express train

２－２．読み練習

Ⅰ．次の漢字の読み方をひらがなで書きなさい。

1. 急ぐ　　　2. 泊まる　　　3. 特に　　　4. 急に　　　5. 連絡する

6. 旅行する　　7. 予約する　　8. 案内する　　9. 準備する　　10. 相談する

Ⅱ．次の漢字の読み方をひらがなで書きなさい。

1. 準急と急行と特急の中で、どれが一番速いですか。

2. ホテルの特別室を電話で予約した。

3. 旅行案内所の人は、そこには旅館が約30あると言った。

4. 友だちに相談して、泊まる所を決めた。

5. 連絡先の住所と電話番号をここに書いてください。

6. 東京は教育水準が高い。

7. 今度の北海道旅行は楽しかった。特に、料理がすばらしかった。

8. 映画が始まりますから、急いでください。

9. 子どもを連れて海外旅行に行きます。

２－３．書き練習

Ⅰ． □に適当な漢字を入れなさい。

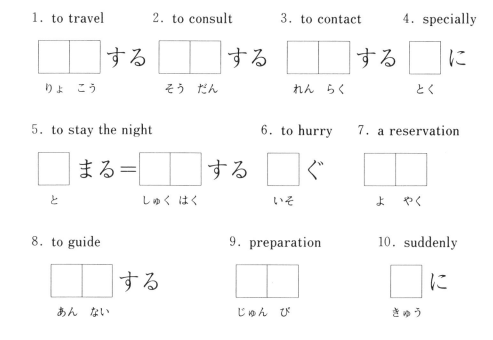

1. to travel　りょ こう する
2. to consult　そう だん する
3. to contact　れん らく する
4. specially　とく に

5. to stay the night　と まる＝しゅく はく する
6. to hurry　いそ ぐ
7. a reservation　よ やく

8. to guide　あん ない する
9. preparation　じゅん び
10. suddenly　きゅう に

Ⅱ． □に適当な漢字を入れなさい。

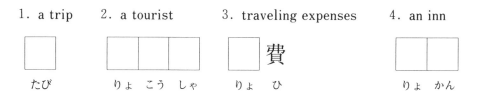

1. a trip　たび
2. a tourist　りょ こう しゃ
3. traveling expenses　りょ 費 ひ
4. an inn　りょ かん

5. to stay two nights

□□ する
に　はく

6. to take someone

□ れて □ く
つ　　　い

7. contact by telephone

□□□□
でん　わ　れん　らく

8. equipment

設 □
せつ　び

9. a partner

□□
あい　て

10. a promise

□ 束
やく　そく

11. a tourist information offfice

□□□□□
りょ　こう　あん　ない　しょ

12. an idea

□
あん

13. a standard

□□
すい　じゅん

14. a local express

□□
じゅんきゅう

15. an express train

□□
きゅう　こう

16. a special express

□□
とっ　きゅう

17. a characteristic

□□
とく　しょく

Ⅲ.　次の文を適当な漢字を使って書きかえなさい。

1. きょうとのりょかんをよやくしました。

2. せんせいにいそいでれんらくしたいことがあるんですが。

3. つぎのえきでこのとっきゅうをおりて、きゅうこうにのります。

4. らいねんアメリカにりゅうがくするよていです。

5. ホテルにとまりますから、じゅんびをしてきてください。

ユニット 3 ——————————————— 読み物

＜関西旅行＞
(かんさい)

　夏休みに京都と奈良へ行った。行く前に、友だちの山本さんにいろいろ相談した。山本さんは日本の古い歴史を勉強しているから、京都や奈良へ何回も行ったことがある。ガイドブックや地図を貸してもらい、電話で旅館を予約した。

　京都はガイドブックを見て一人で見物した。夏休みだから、若い学生がたくさんいてにぎやかだった。その晩は清水寺の近くの安い旅館に泊まった。

　奈良では、駅から山本さんの友だちの川田さんという人に連絡した。川田さんは駅までむかえに来てくれて、あちらこちら車で案内してくれた。京都にも古いものがたくさんあるが、奈良はもっと古い。特に、薬師寺が良かった。静かなお寺で千二百年も前にここに住んでいた人たちのことを思った。本物のお寺や仏像（ぶつぞう）は、写真よりずっとずっとすばらしかった。

　　　＊関西（かんさい）　the Kansai area　　　奈良（なら）　Nara
　　　貸してもらい、＝貸してもらって、　I asked him to lend it to me,
　　　清水寺（きよみずでら）　Kiyomizu Temple
　　　むかえに来る　to come to see　　　薬師寺（やくしじ）　Yakushi Temple
　　　〜のことを思う＝〜について思う　to think about〜
　　　本物（ほんもの）の　real　　　仏像（ぶつぞう）　a statue of Buddha

問　題　次の文を読んで、この人が一番はじめにしたことから番号をつけなさい。

　　（　）奈良駅で川田さんに会った。
　　（　）電話で旅館を予約した。
　　（　）清水寺の近くの旅館に泊まった。
　　（　）薬師寺が一番いいと思った。
　　（　）一人で京都を見物した。
　　（　）川田さんに電話をかけた。
　　（１）山本さんにガイドブックや地図を借りて旅行の準備をした。
　　（　）川田さんの車で奈良を案内してもらった。
　　（　）京都へ行った。

░░░ 知っていますか ░░░ できますか ░░░

＜旅行パンフレット＞

旅行社には、いろいろなパンフレットがあります。

下の「角館（かくのだて）・弘前（ひろさき）と十和田湖（とわだこ）」のツアーのパンフレットを見てください。

[問　題]　ご主人と奥さん、子どもの３人で旅行しますが、ご主人の休みは毎週日曜日と第２月曜日、第４月曜日です。祝日（しゅくじつ a national holiday）と合わせて、３日間で旅行するには、出発日はいつがいいですか。また、旅行のお金はいくらかかりますか。

第32課

交通機関 （Means of Transportation）
こうつう き かん

　私たちは、バス、電車、タクシー、船、飛行機などいろいろな交通機関を利用します。そして、その時、いろいろな漢字を見ます。

～番線 （ばんせん）

Platform No. ～

1番線　2番線　3番線…

～方面 （ほうめん）
In the direction of ～　（文化庁「生活の中の文字」より）

東京・品川・横浜方面　　東京・品川・目黒方面

とびだし　rushing
注意（ちゅうい：beware）
Beware of children
　　　　（rushing out）

～線 （せん）

～Line

京浜東北線 （けいひんとうほくせん）
山手線 （やまてせん）

ユニット 2 ──────── 第三十二課の基本漢字

2－1．漢字の書き方

漢字	意味	くんよみ	オンヨミ	（画数）

358 線　line　　　　　　　　　　　　　　　　　セン　　　（15）

く 纟 幺 糸 糸 糸 糸' 紵 紵 紵 細 絎 綿 綿 線

線（せん）　a line　　　　　　　曲線（きょく・せん）　a curved line
～線（せん）　～ line　　　　　　直線（ちょく・せん）　a straight line

359 発　issue　　　　　　　　　　　　ハツ/ハッ－
　　　　start　　　　　　　　　　　　－パツ　　　（9）

フ ヲ ヲ' 癶 癶 癶 癶 癶 発

出発（しゅっ・ぱつ）する　to depart　　　発売（はつ・ばい）　a sale
発表（はっ・ぴょう）する　to announce　　発行（はっ・こう）　publication

360 到　reach　　（いた-る）　　　　　　トウ
　　　　approach　　　　　　　　　　　　　　（8）

一 エ 互 互 至 至 到 到

到（いた）る　to arrive, to reach
到着（とう・ちゃく）する　to arrive

	漢字	意味	くんよみ	オンヨミ	（画数）

361 交　cross exchange　　ま-じる　まじ-わる　　コウ　（6）

`	一	广	六	亣	交										

交（ま）じる　to mix　　　　　　　交通（こう・つう）　traffic
交（まじ）わる　to cross, to associate　　外交（がい・こう）　diplomacy

362 機　machinery chance　　キ　（16）

一	十	才	木	杧	栌	枠	桜	柊	機	楼	榉	榉	機	機	機

機械（き・かい）　a machine　　　　　ジェット機（き）　a jet airplane
機能（き・のう）　function　　　　　　機会（き・かい）　an opportunity, a chance

363 関　barrier relate, joint　　（せき）　カン　（14）

丨	厂	尸	尸	尸	門	門	門	門	閂	閂	関	関			

関係（かん・けい）する　to relate　　　　機関（き・かん）　an engine, an organ
関東地方（かん・とう・ち・ほう）　the Kanto District

364 局　section bureau　　キョク　（7）

⁊	⁊	尸	厈	局	局	局									

テレビ局（きょく）　a T.V. station　　　　　放送局（ほう・そう・きょく）
電話局（でん・わ・きょく）　a telephone office　　　a broadcasting station

漢字	意味	くんよみ	オンヨミ	（画数）

365 信　trust, believe / message　　シン　（9）

ノ　イ　イ`　亻宀　宀　信　信　信

信(しん)じる　to believe　　　　信号(しん・ごう)　a signal
信用(しん・よう)する　to trust　　通信(つう・しん)　correspondence

366 路　road / route　　ロ　（13）

丨　口　口　只　呈　足　趴　趴　趵　政　政　路　路

線路(せん・ろ)　a railroad track　　　通路(つう・ろ)　a passage
道路(どう・ろ)　a road, a street

367 故　old & dear / late, obstacle　　コ　（9）

一　十　サ　古　古　古`　故　故　故

故人(こ・じん)　the deceased　　　　事故(じ・こ)　an accident
故障(こ・しょう)する　to break down

368 注　pour / focus　　そそ-ぐ　　チュウ　（8）

丶　氵　氵　氵　汁　汁　注　注

注意(ちゅう・い)する　to care, to warn
注(ちゅう)　explanatory notes　　　　注文(ちゅう・もん)する　to order

漢字	意味	くんよみ	オンヨミ	（画数）
369 意	intention meaning		イ	(13)

丶	亠	产	宀	立	产	音	音	音	音	意	意	意			

意見（い・けん）　an opinion　　　　　　意味（い・み）　a meaning
意識（い・しき）　consciousness

2－2．読み練習

Ⅰ．次の漢字の読み方をひらがなで書きなさい。

1．線　　2．テレビ局　　3．道路　　4．意見　　5．注意する

6．出発する　　7．到着する　　8．発売する　　9．信じる　　10．関する

11．交通事故　　12．交通機関

Ⅱ．次の漢字の読み方をひらがなで書きなさい。

1．10時にここを出発して、午後1時ごろ旅館に到着する予定だ。

2．高速道路で交通事故があった。

3．この歩道橋を渡って、まっすぐ行くと、線路に出ます。
　　　　きょう

4．ここには政府の研究機関がたくさんある。

5．信号が青になるまで待ちましょう。

6．日本料理と日本酒を注文します。

7．関東地方に大きい地震がありました。
   <small>じしん</small>

8．いい機会ですから、相手の意見を注意して聞いてください。

9．今一番よく使われている通信機関は電話だ。

10．次の JR 線の急行電車の発車時間は午前九時です。

2－3．書き練習

I． □に適当な漢字を入れなさい。

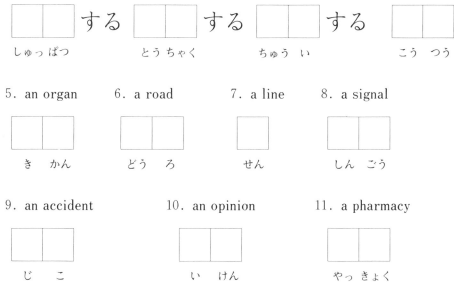

1. to start
   □□ する
   しゅっぱつ

2. to arrive
   □□ する
   とうちゃく

3. to be careful
   □□ する
   ちゅう い

4. traffic
   □□
   こう つう

5. an organ
   □□
   き　かん

6. a road
   □□
   どう　ろ

7. a line
   □
   せん

8. a signal
   □□
   しん　ごう

9. an accident
   □□
   じ　こ

10. an opinion
    □□
    い　けん

11. a pharmacy
    □□
    やっ きょく

Lesson 32

Ⅱ．□に適当な漢字を入れなさい。

1．a straight line　　2．a railroad track　　3．the Tokaido line

直□　　　　　　　□□　　　　　　　□□□□

ちょく せん　　　　せん　ろ　　　　　　とう　かい　どう　せん

4．a sale　　5．diplomacy　　6．a jet plane　　7．an opportunity

□□　　□□　　ジェット□　　□□

はつ　ばい　　がい　こう　　　　　　き　　　　き　かい

8．to relate　　9．the Kanto District　　10．to believe

□係する　　□□□□　　□じる

かん　けい　　かん　とう　ち　ほう　　しん

11．to order　　12．a breakdown　　13．a telephone office

□□する　　□障　　□□□

ちゅう もん　　こ　しょう　　でん　わ　きょく

Ⅲ．次の文を適当な漢字を使って書きかえなさい。

1．このバスは、くじきゅうふんにとうちゃくするよていです。

2．ゆきがふると、こうつうじこがおおくなります。

3．かんとうちほうは、ごごからあめがふるでしょう。

4．くるまにちゅういしてください。

5．このみちは、しんごうがおおいですね。

ユニット 3 ————————————————読み物

＜新幹線＞
しんかんせん

　次のページの時刻表（じこくひょう）を見てください。1から3の文の人たちは、どの新幹線に乗ったらいいでしょうか。

例. 東京駅を6時に出発して、10時半ごろ広島に到着します。食堂車がありますから、そこで朝ご飯を食べたいと思っています。

（　ひかり21号　）

1. 8月4日に名古屋で学会があって、10時までに会場に着かなければなりません。会場は名古屋駅からバスで1時間ちょっとかかります。朝早く東京を出ますから、ビュッフェでコーヒーが飲みたいです。

（　　　　　　　）

2. 6月23日の午前11時に大阪で会議があります。会場は、新大阪駅からタクシーで15分ぐらいの所ですから、10時半ごろ着けばいいと思います。朝早く東京を出てもかまいません。

（　　　　　　　）

3. 私は大阪に住んでいます。7月30日の昼12時までに広島に着きたいんですが、出発時間はできれば遅いほうがいいです。家で食事をしてから乗りますから、食堂車はなくてもいいです。

（　　　　　　　）

[問題]　　上の新幹線に乗る時、何駅の何番線に行けばいいですか。また、注意しなければならないことがあれば、説明してください。

1. （　　　　　　）駅（　　　）番線　　注意：

2. （　　　　　　）駅（　　　）番線　　注意：

3. （　　　　　　）駅（　　　）番線　　注意：

■■■ 知っていますか ■■■ できますか ■■■

<時刻表>
（じこくひょう）

東海道・山陽（さんよう）新幹線（しんかんせん）

列車番号	491A	81A	9197A		6191A	377A	493A	73A	21A	9033A	2221A	401A	9065A	8403A	61A	9295A	537A	9083A	6101A	223A	641A	647A	9175A	391A
予約コード	02491	01081	01197		01191	02377	02493	01073	01021	01033	01221	02401	01065	02403	01061	01295	02537	01083	01101	01223	02471	02471	01175	02391
列車名	こだま	ひかり	ひかり		ひかり	こだま	こだま	ひかり	ひかり	ひかり	こだま	ひかり	こだま	ひかり	ひかり	こだま	こだま	ひかり	ひかり	こだま	こだま	こだま	ひかり	こだま
	491	81	197		191	377	493	73	21	33	221	401	65	403	61	295	537	83	101	223	471	471	175	391
発車番線									⑮	⑭	⑰	⑱	⑲	⑯	⑰	⑮			⑲	⑯	⑭	⑭	⑯	
東京　　発		‥	‥	普通車全車自由席	‥	‥			600	608	612	620	630	634	638	647	グリーン個室連結	‥	‥	712	716	734	734	740	‥
新横浜 〃		‥	‥		‥	‥			↓	↓	630	638	↓	652	656	705		‥	‥	↓	↓	752	752	↓	‥
小田原 〃		‥	‥		‥	‥			↓	↓	651	701	↓	714	↓	↓		‥	‥	↓	↓	814	814	↓	‥
熱海　 〃		‥	‥		‥	‥			↓	↓	↓	712	↓	725	↓	↓		‥	‥	↓	↓	825	825	↓	‥
三島　 〃		‥	‥		‥	605	‥	✂	↓	☕	↓	725	↓	737	↓	↓		‥	‥	✂	‥	837	837	↓	‥
静岡　 〃		‥	‥		‥	630	‥		↓		↓	747	↓	801	↓	↓		‥	‥		‥	901	901	↓	‥
浜松　 〃		‥	‥		‥	646	‥		↓		↓	814	↓	827	↓	↓		‥	‥		‥	927	927	↓	‥
豊橋　着		‥	‥		‥	709	✂	752	800	814	↓	832	856	845	↓	↓		‥	‥	905	914	945	945	↓	‥
名古屋発	621	‥	‥		711	734	754	802	816	857	822	911	835	846	821	834	845	‥	906	916	1010	1010	934	
岐阜羽島〃	634	‥	‥	6両編成なし	724	747	↓	↓	↓	910	↓	927	↓	↓				‥	‥	1011	1027	935	6両編成なし
米原　 〃	651	‥	‥		741	↓	↓	↓	901	930	↓	944	↓	↓				‥	‥	1044		
京都　 〃	717	‥	‥		807	824	840	848	901	956	909	1010	922	932		952	1001	1110	1022		
新大阪着	733	☕	‥		823	840	856	904	917	1012	925	1026	938	948		☕	1008	1017	1126	1038	
発着番線	㉑	㉒	⑳		㉒	㉑	㉑	㉑	㉑	㉑	㉑	㉔	㉓			⑳	㉑	㉑		㉔	⑳
新大阪発	735	747	803		810	814	825	842	858	906	919	☕	☕	㉔	940	☕	1006	1010	1019	☕	1040	1045
新神戸 〃	750	↓	818		825	829	840	857	↓		934				955		↓	1025	1034	1055	1100
西明石 〃	801	↓	↓		↓	840	851	↓	↓		945	8月17日新大阪は			↓	8月17日新大阪は	↓	1045	1045	↓	1111
姫路　 〃	817	↓	839		845	854	905	↓	↓		959				↓		1045	1059	↓	1115	1127
相生　 着	828	↓	↓		↓	904	915	↓	↓		1010			1037			↓	1110	↓	1138
岡山　着	849	839	905		911	924	939	950	958		1030						1058	1111	1130	1141	1158
岡山　発	850	840	906		912	925	940	951	959		1031	普通車全車自由席			✂		1059	1112	1131	☕	1159
新倉敷 〃	905	↓	↓		↓	938	↓	↓			1043	㉕					↓	1135	1157	1212
新福三〃	918	↓	927		935	952	↓	↓			1057	‥					↓	1210	1225
三原　 着	931	↓	↓		↓	1007	↓	↓			1110	‥					6両編成なし	1238
広島　着	954	926	958		1006	1033	1026	1037	1045	1132	‥					1147	1206	1232	1301
広島　発	☕	927	959		1007	1041	1027	1038	1046							1142	1148	1207
新岩国 〃	‥	↓	↓		↓	1059	✂								1201	↓	1236
徳山　 〃	‥	↓	1043		↓	1116		1108	1119	1127					1219	↓	1253
小郡　 〃	‥	1101			1049	1133		1108	1152						1236	↓
新下関着	‥	1028	1111		1118	1202		1132	1143	1151					1255	↓
小倉　着	‥	↓													1305	1247	1318
博多　着	‥	1049	1133		1139	1224		1154	1205	1213					1327	1309	1339
到着番線		⑭	⑪		⑫	⑬		⑬	⑫	⑭					⑭	⑭	⑬

| 運転期日 | （期日を示していない列車は毎日運転） | 8月9・13日運転 | 7・12月28・1〜13・30・9・16月〜3・22・6・24・10・25・ | | 8月1〜20日運転 | | | | 8月16日運転 | 6月20〜24・27・28日運転 | 7・月9日27〜31〜1431・月2・5〜10 | 7月8月13〜17・8月3〜7 | 13月〜31日20〜158・月29日31日運転2931日運9月12日運転 | 7・月1317911〜3月日運1212転1317日運転 | 7月9・10日運転 | 7月8月2421〜8・24月日運21〜8運転2 |

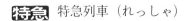 特急列車（れっしゃ）

 一部（いちぶ）指定席（していせき）
partly　　　reserved seat

 急行列車

 全部（ぜんぶ）指定席
all seats reserved

 寝台（しんだい）特急
sleeping car

 グリーン車・指定席
a green car

寝台急行

臨時（りんじ）列車
a special (seasonal) train

 エル特急
a limited express

駅の通過（つうか）
not stopping at this station

 寝台車・個室（こしつ）
a sleeping car

⑦ 発車番線

A寝台車
A class

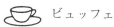 食堂（しょくどう）車
a dining car

ビュッフェ
a buffet

第33課

ユニット 1 ―――――――――――――――――――漢字の話

いろいろな 表示（Signs）

☆ご自由（じゆう）にお持ちください。（Please take one.）

☆営業中（えいぎょうちゅう：open）

　　休業中（きゅうぎょうちゅう：closed）

　　準備中（じゅんびちゅう：getting ready to open）

☆払(はら)いもどし
　窓口(まどぐち)
　　（Refund Counter）

☆乗越の方は右側の窓口でお願いします。
　（のりこし）　（かた）　（みぎがわ）　　（まどぐち）　（ねが）
　（Please pay fare adjustment at the right-hand counter）

☆自由席（じゆうせき）
　　（an unreserved seat）

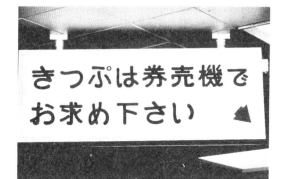

☆券売機（けんばいき）
　　（Ticket Vending Machine）

☆お求め下さい。
　（もと）　（くだ）
　　（Please buy（your ticket））

［クイズ］これらの表示はどんな所で見ることができますか。

（文化庁「生活の中の文字」より）

ユニット 2 ─────────────────第三十三課の基本漢字

2－1. 漢字の書き方

	漢字	意味	くんよみ	オンヨミ	(画数)
370	押	press push	お-す	(オウ)	(8)

一 十 才 扎 扣 押 押 押

押(お)す to push
押入(おし・い)れ a closet

	漢字	意味	くんよみ	オンヨミ	(画数)
371	引	pull draw	ひ-く	イン	(4)

一 コ 弓 引

引(ひ)く to pull, to draw　　　　引(ひ)き出(だ)し　a drawer
引力(いん・りょく)　gravity

	漢字	意味	くんよみ	オンヨミ	(画数)
372	割	divide cut	わ-れる わ-る/わり	カツ	(12)

、 宀 宀 宀 宀 宀 宇 害 害 害 割 割

割(わ)る to cut, to break, to crack　　分割(ぶん・かつ) division
割合(わり・あい)　rate, a ratio　　　　一割引(いち・わり・び)き 10% off

漢字	意味	くんよみ	オンヨミ	（画数）

373 営　carry on / operate　（いとな-む）　エイ　（12）

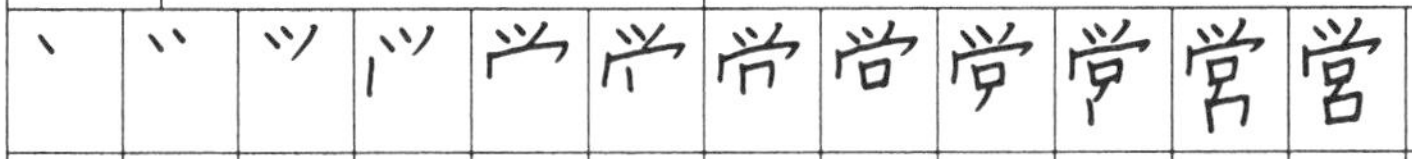

丶　ⸯ　ツ　� "　 ⸛　 ⸜　 ⺌　 営　 営　 営　 営　 営

営（いとな）む　to operate　　営業（えい・ぎょう）　trade, business
経営（けい・えい）する　to run an enterprise

374 自　self　（みずか-ら）　ジ　（6）

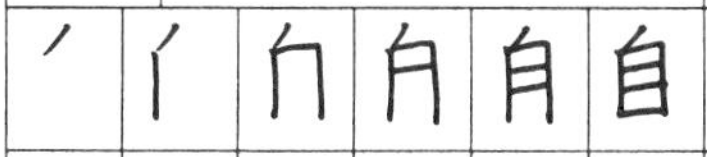

ノ　亻　冂　白　自　自

自宅（じ・たく）　one's own home　　自信（じ・しん）　self-confidence
自分（じ・ぶん）　one's own　　　　自由（じ・ゆう）　freedom, liberty

375 由　course / line　ユ / ユウ　（5）

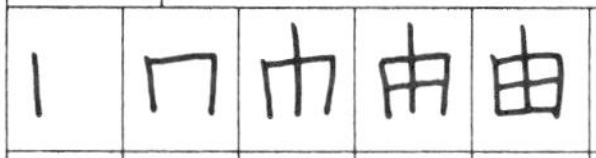

丨　冂　巾　由　由

経由（けい・ゆ）　via, by way of
理由（り・ゆう）　reason

376 取　get, hold / acquire　と-る　シュ　（8）

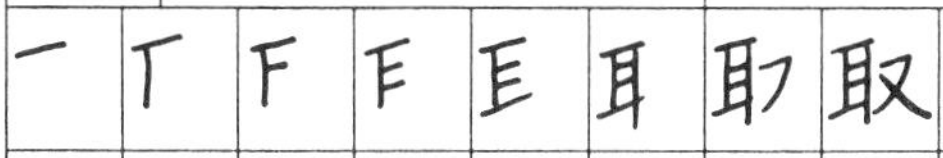

一　丆　F　F　E　耳　取　取

取（と）る　to get, to take
取（と）り引（ひ）き　transaction, trade

漢字	意味	くんよみ	オンヨミ	（画数）
377 求	request demand	もと-める	キュウ	（7）

一 十 寸 寸 求 求 求

求（もと）める to ask for　　　　　　要求（よう・きゅう）する to demand
求人広告（きゅう・じん・こう・こく） a help wanted advertisement

378 願	pray beg	ねが-う	ガン	（19）

一 厂 厂 厂 厈 厡 原 原 原 原 原 原 原 願 願 願 願
願 願

願（ねが）う to request　　　　　　願書（がん・しょ） an application
願（ねが）い a wish

379 知	know, aware intelligence	し-る	チ	（8）

丿 亠 上 午 矢 知 知 知

知（し）る to know　　　　　　知識（ち・しき） knowledge
知（し）らせる to let know, to inform

2－2．読み練習

I．次の漢字の読み方をひらがなで書きなさい。

1．押す　2．引く　3．取る　4．割る　5．願う　6．知る　7．求める

8．店を経営する　9．自分の家＝自宅　10．自由な時間　11．理由

Ⅱ．次の漢字の読み方をひらがなで書きなさい。

1．その会社と取り引きがあるかどうか知らない。

2．次の式の答えを求めなさい。　　　3．ベースアップを要求する。
^{よう}

4．求人広告で仕事をさがす。　　　5．県知事にお願いがあります。
_{こく}

6．大学に入学願書を出す。　　　7．百を七で割るといくつですか。

8．着ない服は押し入れに、着る服は引き出しにしまう。

9．どんな理由があっても、遅く来るのは悪い。

10．来週の月曜日に知人がホンコン経由でシンガポールから来ます。

２－３．書き練習

Ⅰ．□に適当な漢字を入れなさい。

1. to push　　2. to pull　　3. to get　　4. to ask for　　5. to request

□す　　□く　　□る　　□める　　□う
お　　　ひ　　　と　　　もと　　　ねが

6. to break　7. to know　8. freedom　9. to run an enterprise

□る　　□る　　□□　　□□する
わ　　　し　　じ ゆう　　けい えい

— 109 —

Ⅱ．□に適当な漢字を入れなさい。

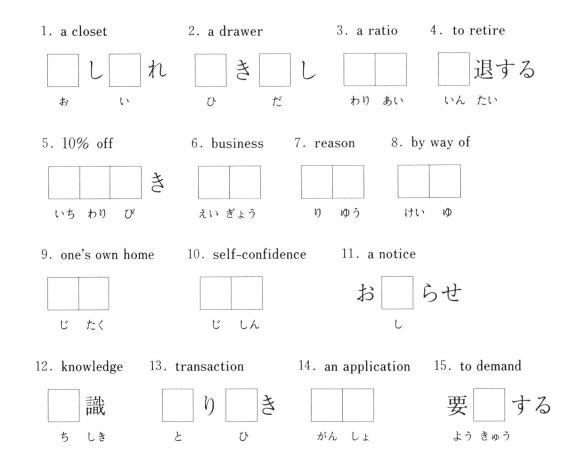

1. a closet

□し□れ
お　　い

2. a drawer

□き□し
ひ　　だ

3. a ratio

□□
わり　あい

4. to retire

□退する
いん　たい

5. 10% off

□□き
いち　わり　び

6. business

□□
えい　ぎょう

7. reason

□□
り　　ゆう

8. by way of

□□
けい　ゆ

9. one's own home

□□
じ　たく

10. self-confidence

□□
じ　しん

11. a notice

お□らせ
し

12. knowledge

□識
ち　しき

13. transaction

□り□き
と　　ひ

14. an application

□□
がん　しょ

15. to demand

要□する
よう　きゅう

Ⅲ．次の文を適当な漢字を使って書きかえなさい。

1．このドアは、おしてもひいてもあかない。

2．このまどのガラスをわったのはわたしです。

3．あのみせは、ごぜんくじからえいぎょうしている。

4．じぶんのいえにいるのがいちばんすきだ。

5．しらないひとに「シャッターをおしてください。」とおねがいした。

ユニット 3 ─────────────────────── 読み物

＜CD プレーヤー＞

　金曜日の夕方、会社の帰りに秋葉原へ行った。

　その週にボーナスをもらったので、前からほしかった CD プレーヤーを買うことにした。

　どの店も、とてもこんでいた。ぼくはいろいろな CD プレーヤーをくらべてみようと思って、一番大きい店に入った。

　でも、あれもこれもみんなほしくて、なかなか決められない。そこへ店員が来て「どうぞご自由にいろいろ聞いてみてください。」と言った。

　A社のものと、B社のものを聞いてみた。A社のほうがデザインがいいし、八千円安いが、B社のほうが音がいい。

　考えていると、店員が「今、B社のものは、特別に割引きいたします。こちらは定価が六万七千円ですが、今三割引きですよ。」と言った。

　A社のものは二割しか引かないと言うので、B社のを買った。

　念願の CD プレーヤーを買って、本当にうれしかったので、「いい音楽を聞きにきませんか。」と真理子さんに電話をした。

　駅で真理子さんと待ち合わせをして、いっしょに家に帰り、プレーヤーを取り出した。その時たいへんなことを思い出した。ディスクを買うのをすっかり忘れていた。

　　考える（かんがえる：to think）
　　定価（ていか：a fixed price）
　　忘れる（わすれる：to forget）
　　念願（ねんがん：one's dearest wish）

　質問　1．いつボーナスをもらいましたか。
　　　　　2．どの店に行きましたか。
　　　　　3．いくつ聞きましたか。
　　　　　4．定価は、どちらが安いですか。
　　　　　5．どちらを買いましたか。
　　　　　6．いくらで買いましたか。
　　　　　7．A社のほうの定価はいくらですか。

☐☐☐☐ 知っていますか ☐☐☐☐ できますか ☐☐☐☐

＜漢字で遊ぶ＞

いろいろなドア・サインです。意味をかんがえて、正しい漢字と読み方を書きなさい。

例.　　　　　1.　　　　　2.　　　　　3.

電 話

（ でんわ ）（　　　　　）（　　　　　）（　　　　　）

4.　　　　　5.　　　　　6.　　　　　7.

（　　　　　）（　　　　　）（　　　　　）（　　　　　）

8.　　　　　9.　　　　　10.　　　　　11.

（　　　　　）（　　　　　）（　　　　　）（　　　　　）

（『世界の絵文字1970-83』柔山弥三郎編　柏書房より）

第34課

ユニット 1 ————————————————————————————漢字の話

物の名前と総称（General Terms for Tools and Utensils）

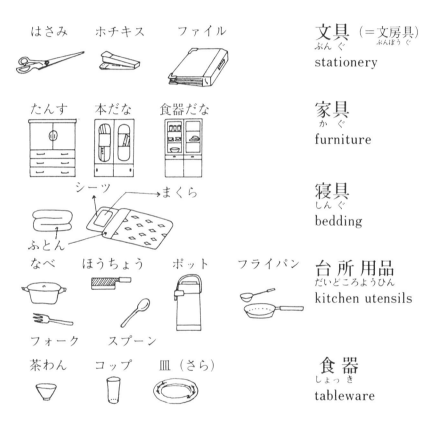

はさみ　ホチキス　ファイル

文具 （＝文房具）
ぶん ぐ　　ぶんぼう ぐ
stationery

たんす　本だな　食器だな

家具
か　ぐ
furniture

シーツ　→まくら

ふとん

寝具
しん ぐ
bedding

なべ　ほうちょう　ポット　フライパン

台所用品
だいどころようひん
kitchen utensils

フォーク　スプーン

茶わん　コップ　皿 （さら）

食器
しょっ き
tableware

☆物をまとめていう時に使う漢字：

具 （グ）：文具　家具　寝具　工具　農具　雨具　道具　用具　器具
器 （キ）：食器　楽器　計器　花器　茶器　兵器 （へいき）
品 （ヒン→L35）：商品　食料品　化粧品 （けしょうひん）
用品 （ヨウヒン）：スポーツ用品　ベビー用品　家庭用品

ユニット 2 ——————————第三十四課の基本漢字

2－1. 漢字の書き方

漢字	意味	くんよみ	オンヨミ	（画数）

380 台
board, table
base
ダイ
タイ （5）

レ ム 台 台 台

台（だい）　a table, a platform
一台（いち・だい）　one（for machines）
台地（だい・ち）　a plateau
台風（たい・ふう）　a typhoon

381 窓
window
まど
ソウ （11）

丶 宀 宀 宀 穴 空 空 窓 窓 窓 窓

窓（まど）　a window
窓口（まど・ぐち）　a window, a counter
同窓会（どう・そう・かい）　an alumni association

382 具
equipment
instrument
グ （8）

丿 冂 月 月 目 且 具 具

道具（どう・ぐ）　a tool, an instrument
具体的（ぐ・たい・てき）な　concrete
家具（か・ぐ）　furniture
雨具（あま・ぐ）　rain-wear

漢字	意味	くんよみ	オンヨミ	（画数）

383 器　container, tool physical organ　うつわ　キ　(15)

丨　冂　口　叮　叮叮　叮叮口　罒　罒ノ　哭　哭　器　器　器　器　器

器（うつわ）　a container 　　　　　食器（しょっ・き）　tableware
楽器（がっ・き）　a musical instrument 　　　器具（き・ぐ）　a utensil

384 用　use errand　もち-いる　ヨウ　(5)

ノ　冂　月　月　用

用＝用事（よう・じ）　an errand, business 　　　用意（よう・い）する　to prepare
用具（よう・ぐ）　a tool

385 服　clothes, dress obey　フク　(8)

丨　冂　月　月　朊゛　朌　朋　服

服（ふく）　clothes
服用（ふく・よう）する　to take (medicine)

386 紙　paper journal　かみ　シ　(10)

く　乡　幺　糸　糸　糸　糸′　紅　紅　紙

紙（かみ）　paper 　　　　　　　手紙（て・がみ）　a letter
表紙（ひょう・し）　a cover

漢字	意味	くんよみ	オンヨミ	（画数）

| 387 | 辞 | term, affix
resign | （や-める） | ジ | （13） |

丶 二 千 千 舌 舌 舌 舌 舌 辞 辞 辞 辞

辞書（じ・しょ）　a dictionary
接辞（せつ・じ）　an affix

| 388 | 雑 | rough
miscellaneous | | ザツ/ザッ-
ゾウ | （14） |

丿 九 九 卆 杂 杂 糸 糸 糸 雜 雑 雑 雑

雑音（ざつ・おん）　noise　　　　　　　　複雑（ふく・ざつ）な　complicated
雑用（ざつ・よう）　miscellaneous duties

| 389 | 誌 | record
magazine | | シ | （14） |

丶 亠 二 三 言 言 言 計 計 計 誌 誌 誌

雑誌（ざっ・し）　a magazine　　　　　　日誌（にっ・し）　daily records
週刊誌（しゅう・かん・し）　a weekly magazine

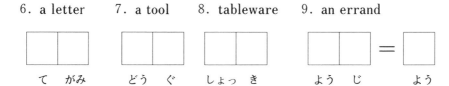

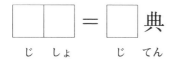

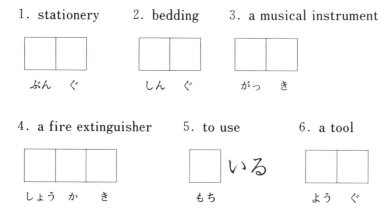

しょう　か　き　　　もちいる　　　よう　ぐ

2－2．読み練習

Ⅰ．次の漢字の読み方をひらがなで書きなさい。

　　1．台所　　2．道具　　3．食器　　4．辞書　　5．洋服　　6．雑誌

　　7．楽器　　8．用具　　9．手紙　　10．窓口

Ⅱ．次の漢字の読み方をひらがなで書きなさい。

　　1．家具売り場は5階で婦人服売り場は3階です。
　　　　　かい　ふ　　　　　がい

　　2．台風は毎年夏と秋に日本に来る。
　　　　　ふう

　　3．本、雑誌、辞書などを買う時は、大きい書店に行ったほうがいい。

　　4．結婚する前に、新しい家具や食器や服を買った。

　　5．日曜日は手紙を書いたり雑誌を読んだりしています。

　　6．急行券は2番の窓口で買ってください。
　　　　　けん

　　7．紙人形を作るために折り紙とはさみとのりを用意する。

　　8．この台所は窓が大きくて明るい。

　　9．この薬は食後三十分たったら、服用してください。

2－3．書き練習

Ⅰ．□に適当な漢字を入れなさい。

1. a table　　2. a window　3. paper　　4. a dress　　5. a magazine

だい　　　　　まど　　　　かみ　　　　ふく　　　　ざっ　し

6. a letter　　7. a tool　　8. tableware　　9. an errand

て　がみ　　　どう　ぐ　　しょっ　き　　　よう　じ　　　よう

10. a dictionary

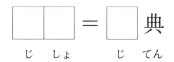

じ　しょ　　　じ　てん

Ⅱ．□に適当な漢字を入れなさい。

1. stationery　　2. bedding　　3. a musical instrument

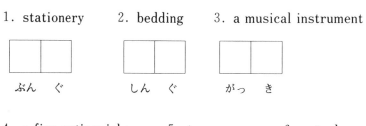

ぶん　ぐ　　　　しん　ぐ　　　　がっ　き

4. a fire extinguisher　　5. to use　　6. a tool

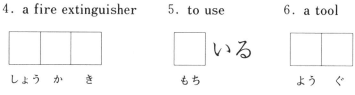

しょう　か　き　　　　もち　　　　よう　ぐ

漢字の基礎（Basic Kanji 500），漢字書き練習辞典（Kanji Dictionary），
を本テキストに沿ってご使用いただく方へ

日本情報産業 CAI "Let's learn Nihongo" ソフトウェア
Lesson 及び漢字対応表

日本情報産業 CAI ソフト ［漢字の基礎］JKシリーズ

基本漢字500 J K シリーズ			基本漢字500 J K シリーズ	
I.	L 1	J K 1	II. L 23	J K 2・(5)
	L 2	J K 1	L 24	J K 3
	L 3	J K 1	L 25	（J K 5）
	L 4	J K 1	L 26	J K 2
	L 5	J K 1	L 27	（J K 5）
	L 6	J K 1	L 28	（J K 5）
	L 7	J K 1	L 29	（J K 5）
	L 8	J K 2	L 30	J K 3・4
	L 9	J K 3	L 31	J K 5
	L 10	（J K 5）	L 32	J K 5
	L 11	J K 4	L 33	J K 3・(5)
	L 12	J K 4	L 34	J K 5
	L 13	J K 4	L 35	J K 5
	L 14	J K 4	L 36	J K 3
	L 15	（J K 5）	L 37	J K 3
	L 16	J K 3	L 38	J K 2
	L 17	J K 3	L 39	J K 5
	L 18	（J K 5）	L 40	J K 5
	L 19	（J K 5）	L 41	J K 5
	L 20	（J K 5）	L 42	J K 5
	L 21	（J K 5）	L 43	J K 3
	L 22	（J K 5）	L 44	J K 5
			L 45	J K 5

＊（ ）に入れてあるのはまだその時点で使うのは少し難しいところ。J K 5 は復習用にL 31あたりから使うと
よい。J K 4 も L 11-14の時点で全部やるのは無理なので，できるところのみ使って，残りは後半使う。

日本情報産業 CAI ソフト ［漢字書き練習辞典］ （JD シリーズ）の練習番号

L1									
日	80201		休	10104		読	12110	痛	50403
月	80202		体	10110		書	40503	屋	50302
木	80205		好	10401		話	12106	国	70304
山	80113		男	40201		買	41103	回	70301
川	80114		林	11302		教	20703	困	70302
田	80302		森	11306				開	70405
人	80107		間	70404	L10	朝	20902	閉	70403
口	80111		畑	11101		昼	80511		
車	80416		岩	31413		夜	30205	L14 近	60101
門	70401					晩	11205	遠	60116
		L6	目	80303		夕	80121	速	60105
L2 火	80203		耳	80401		方	80127	遅	60112
水	80204		手	80208		午	80209	道	60113
金	80505		足	30702		前	31421	青	40901
土	80112		雨	80501		後	10603	晴	11204
子	80115		竹	12603		毎	31408	静	12624
女	80116		米	80402		週	60108	寺	30601
学	31001		貝	80417		曜	11208	持	10807
生	80316		石	80304				荷	30506
先	40103		糸	80403	L11	作	10108	歌	21002
私	11901					泳	10902		
		L7	花	30501		油	10908	L15 友	30301
L3 一	80101		茶	30505		海	10909	父	80128
二	80102		肉	70101		酒	10915	母	80315
三	80110		文	80221		待	10604	兄	40102
四	80301		字	30403		校	11305	姉	10403
五	80206		物	11501		時	11203	弟	80422
六	80207		牛	80210		言	80419	妹	10404
七	80103		馬	80516		計	12101	夫	80220
八	80104		鳥	80517		語	12107	妻	40402
九	80105		魚	80518		飯	12402	彼	10602
十	80106							主	80308
百	80406	L8	新	20802	L12	宅	30402	奥	31428
千	80122		古	40301		客	30407		
万	80123		長	31412		室	30408	L16 元	40101
円	80112		短	11802		家	30410	気	80415
年	80408		高	30207		英	30502	有	30304
			安	30401		薬	30508	名	80414
L4 上	80117		低	10111		会	30102	親	12625
下	80118		暗	11206		今	30101	切	20201
中	80211		多	80413		雪	31301	便	10115
大	80119		少	80213		雲	31302	利	11902
小	80120					電	31303	不	80215
本	80305	L9	行	10601		売	40105	若	30504
半	80307		来	80418				早	30801
分	31401		帰	12613	L13	広	50201	忙	10701
力	80109		食	30105		店	50202		
何	10107		飲	12401		度	50206	L17 出	80313
			見	40104		病	50401	入	80108
L5 明	11201		聞	70406		疲	50402	乗	80509

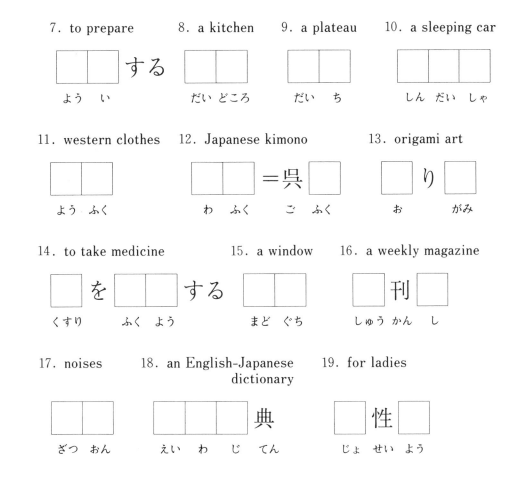

7. to prepare

□□する
よう　い

8. a kitchen

□□
だい　どころ

9. a plateau

□□
だい　ち

10. a sleeping car

□□□
しん　だい　しゃ

11. western clothes

□□
よう　ふく

12. Japanese kimono

□□＝呉□
わ　ふく　　ご　ふく

13. origami art

□り□
お　　がみ

14. to take medicine

□を□□する
くすり　　ふく　よう

15. a window

□□
まど　ぐち

16. a weekly magazine

□刊□
しゅう　かん　し

17. noises

□□
ざつ　おん

18. an English-Japanese
dictionary

□□□典
えい　わ　じ　てん

19. for ladies

□性□
じょ　せい　よう

Ⅲ. 次の文を適当な漢字を使って書きかえなさい。

1. てんきがいいので、だいどころのまどをあけた。

2. けっこんしたとき、あたらしいかぐとしょっきをかった。

3. ざっしで、ことしりゅうこうしているふくをみた。

4. じしょをみながら、にほんごでてがみをかいた。

5. パーティなので、たべものやのみものをたくさんよういした。

ユニット 3 ———————————————————— 読み物

＜結婚準備ー男と女、どちらがたいへん？＞

　男女が結婚して新しい家庭を作る時には、いろいろな物を買わなければなりません。日本では、ふつう女の人が家具や寝具を用意します。家具というのは、洋だんす、和だんす、鏡台などです。食器などの台所用品やいろいろな家庭用品も女の人が買います。新しい洋服や和服も作らなければなりません。ですから、むかしから「むすめが三人いると、家がつぶれる」と言います。

　一方、男の人は、婚約する時に月給の2か月分ぐらいのお金を女の人の家に渡します。これを『結納（ゆいのう）』と言います。男の人は、二人が住む家も見つけなければなりません。その家のお金は、男の人が払います。

　さて、男と女、あなたの国では、どちらがたいへんですか。

　　　＊家庭（かてい）　a home　　　鏡台（きょうだい）　a dressing table
　　　　むかし　old times　　　　　むすめ　a daughter
　　　　つぶれる　to go into bankruptcy, to be ruined
　　　　一方（いっぽう）　on the other hand
　　　　月給（げっきゅう）　one's monthly salary
　　　　2か月分　for two months　　さて、Now, Well,

質問　1．男女が結婚する時、日本では、女の人は何をしなければなりませんか。

　　　2．男の人は、何をしなければなりませんか。

　　　3．どうして「むすめが三人いると、家がつぶれる」というのですか。

　　　4．7行目の「これ」というのは、何ですか。

　　　5．上の文を読んで、男と女、とちらがたいへんだと思いますか。

　　　6．あなたの国では、結婚する時、男の人と女の人は何をしますか。
　　　　　あなたの国の結婚準備について、作文を書きなさい。

知っていますか できますか
＜デパートの店内案内＞

屋　上　（おくじょう）

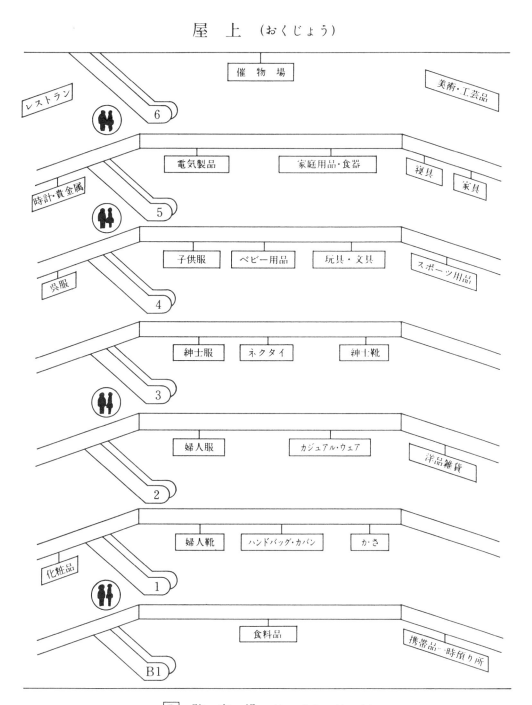

レストラン

催 物 場

美術・工芸品

6

時計・貴金属

電気製品　　家庭用品・食器　　寝具　家具

5

呉服

子供服　ベビー用品　玩具・文具　スポーツ用品

4

紳士服　ネクタイ　紳士靴

3

婦人服　　カジュアル・ウェア　　洋品雑貨

2

化粧品

婦人靴　ハンドバッグ・カバン　かさ

1

食料品　　携帯品一時預り所

B1

P　駐　車　場　（ちゅうしゃじょう）

6 F　催物場（もよおしものじょう）　Special Exhibition Hall
　　　美術工芸品（びじゅつこうげいひん）　Art and Craft
　　　レストラン

5 F　電気製品（でんきせいひん）　Electric Appliances
　　　家庭用品（かていようひん）　Household Goods
　　　食器　　寝具　　家具
　　　時計・貴金属（ききんぞく）　　Watches and Jewelry

4 F　子供(こども)服　ベビー用品
　　　玩具（がんぐ）　Toys
　　　文具　　スポーツ用品
　　　呉服（ごふく）　Kimono

3 F　紳士(しんし)服　Men's Fashion
　　　ネクタイ　　紳士靴（しんしぐつ）　Men's Shoes

2 F　婦人(ふじん)服　Women's Fashion
　　　カジュアル・ウェア　Casual Wear
　　　洋品雑貨（ようひんざっか）　Women's Goods and Accessories

1 F　婦人靴(ふじんぐつ)　Women's Shoes
　　　ハンドバック・カバン　　かさ
　　　化粧品（けしょうひん）　Cosmetics

B 1　食料品（しょくりょうひん）　Foods
　　　携帯品一時預り所（けいたいひん/いちじ/あずかりじょ）　Cloakroom

☆次の物を買いたい時は、何階のどこへ行けばいいですか。
　　a. ふとん　　　b. ペン　　　c. 魚　　　　d. テープレコーダー
　　e. ズボン　　　f. 着物　　　g. テニスのラケット　　　h. ゆびわ
　　i. コーヒーカップ　　j. たんす　　k. スカート　　l. 口紅（くちべに）
　　m. かさ　　　n. 女の人のくつ　　　o. 男の人のくつ　　　p. うで時計
　　q. 赤ちゃんのくつ　　　r. はさみ　　　s. 運動ぐつ　　　t. ケーキ

☆レストランは、何階のどこにありますか。
☆手洗いは、何階にありますか。
☆荷物をあずけたい時、どこへ行けばいいですか。

第35課

ユニット 1 ────────────────────漢字の話

経済に関係のあることば （Economic Terminology）

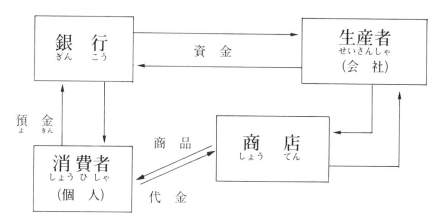

銀行（ぎんこう）　a bank　　　　　商店（しょうてん）　a shop
預金（よきん）　a deposit　　　　　商品（しょうひん）　goods, commodities
資金（しきん）　capital, funds　　　消費者（しょうひしゃ）　a consumer
生産者（せいさんしゃ）　a producer　個人（こじん）　an individual
　　　　　　　　　　　　　　　　　　代金（だいきん）　money

◇ 次のことばを例にならって、わかりやすく言いかえなさい。

　　例）生産する：ものをつくる

　　1）生産者：

　　2）産地＝生産地：

　　3）産物＝生産物：

　　4）消費する：

　　5）消費者：

　　6）物価：

　　7）地価：

ユニット 2 ─────────第三十五課の基本漢字

2－1. 漢字の書き方

漢字	意味	くんよみ	オンヨミ	（画数）

390 銀	silver	ギン　（14）

ノ	ト	亽	仐	牟	余	釒	金	金ヿ	釒ヨ	釒ヨ	釦	鉬	銀		

銀（ぎん）　silver	水銀（すい・ぎん）　mercury
銀行（ぎん・こう）　a bank	銀座（ぎん・ざ）　Ginza

391 資	capital fund	シ　（13）

丶	ニ	ン	少	汙	次	次	咨	咨	咨	資	資	資		

資本（し・ほん）　capital, a fund	投資（とう・し）する to invest
資料（し・りょう）　data, materials	資格（し・かく）　a qualification

392 品	article, goods (human quality)	しな	ヒン　（9）

l	冂	口	口	口	口	品	品	品						

品物（しな・もの）　goods, articles	商品（しょう・ひん）　a commodity
食料品（しょく・りょう・ひん）　food	上品（じょう・ひん）な elegant

漢字	意味	くんよみ	オンヨミ	（画数）

393 個　individual　　　コ　（10）

ノ　イ　イ゛　们　伢　個　個　個　個　個

個人（こ・じん）　an individual　　　個室（こ・しつ）　a private room
一個（いっ・こ）　one (thing)

394 価　price　（あたい）　カ　（8）

ノ　イ　亻゛　仁　佰　価　価　価

物価（ぶっ・か）　commodity prices　　　高価（こう・か）な　expensive
評価（ひょう・か）する　to evaluate

395 産　produce／give birth　う－まれる／う－む　サン　（11）

丶　亠　产　产　立　产　产　产　斉　産　産

産（う）む　to give birth　　　生産（せい・さん）する　to produce
産業（さん・ぎょう）　industry　　　産地（さん・ち）　producing area

396 期　term, period／expect　キ　（12）

一　艹　廾　甘　其　其　其　其　期　期　期　期

期間（き・かん）　a period　　　学期（がっ・き）　a school term
期待（き・たい）する　to expect　　　定期（てい・き）　a commuter's pass

漢字	意味	くんよみ	オンヨミ	（画数）

397 々　(symbol of repetition)　（3）

ノ　ク　々

人々（ひと・びと）　people
色々（いろ・いろ）な　various

国々（くに・ぐに）　various countries
少々（しょう・しょう）　a little, a few

398 報　report / reward　（むく-いる）　ホウ　（12）

一　十　土　キ　キ　去　幸　幸　幸　報　報　報

報道（ほう・どう）　news
電報（でん・ぽう）　a telegram

予報（よ・ほう）　a forecast
情報（じょう・ほう）　information

399 告　tell / announce　つ-げる　コク　（7）

ノ　ト　牛　生　告　告　告

告（つ）げる　to tell
広告（こう・こく）　an advertisement

報告（ほう・こく）する　to report

2－2．読み練習

I．次の漢字の読み方をひらがなで書きなさい。

1．個人　　2．資本　　3．銀行　　4．商品　　5．物価　　6．人々

7．生産する　　8．報告する　　9．期待する　　10．広告する

Ⅱ. 次の漢字の読み方をひらがなで書きなさい。

1. 留学生教育センターの日本語コースは、前期と後期に分かれている。

2. 人々は、スーパーやデパート、個人の商店などでほしい品物を買う。

3. 色々な品物の価格の平均（average）を「消費者物価」という。
　　　　　　　　　　　　へいきん　　　　　　　　　　　ひ

4. このような高価な商品は、定価の２割引きで売ります。

5. 日本の会社の生産システムを調べて、報告書を書かなければならない。
　　　　　　　　　　　　　　　　しら

6. 銀行から資金を借りて家を買ったが、ローンの返済がたいへんだ。

7. 品質の良い物を生産しても、価格が高ければ、売れない。

8. 新聞やテレビ、ラジオの広告を作る仕事は、第三次産業である。
　　　　　　　　　　　　　　　　　　だい

２－３. 書き練習

Ⅰ. □に適当な漢字を入れなさい。

1. people

□□
ひと びと

2. a period

□□
き　かん

3. industry

□□
さん ぎょう

4. a commodity

□□
しょう ひん

5. commodity prices

□□
ぶっ　か

6. a bank

□□
ぎん こう

7. a fund

□□
し　きん

8. an individual

□□
こ　じん

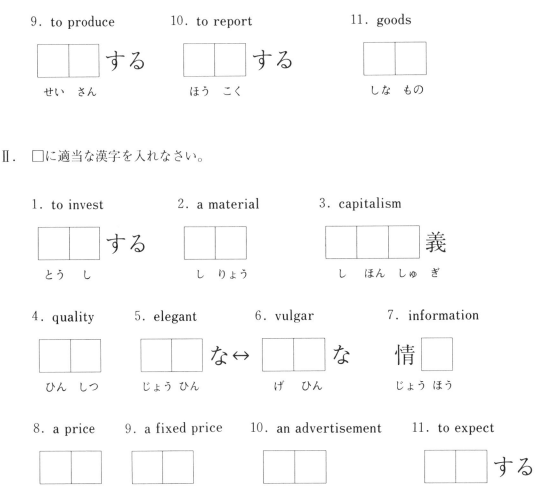

9. to produce

□□する

せい　さん

10. to report

□□する

ほう　こく

11. goods

□□

しな　もの

Ⅱ．□に適当な漢字を入れなさい。

1. to invest

□□する

とう　し

2. a material

□□

し　りょう

3. capitalism

□□□義

し　ほん　しゅ　ぎ

4. quality

□□

ひん　しつ

5. elegant

□□な ↔

じょう　ひん

6. vulgar

□□な

げ　ひん

7. information

情□

じょう　ほう

8. a price

□□

か　かく

9. a fixed price

□□

てい　か

10. an advertisement

□□

こう　こく

11. to expect

□□する

き　たい

Ⅲ．次の文を適当な漢字を使って書きかえなさい。

1．ぎんこうでかいしゃのしきんをかりた。

2．あのみせでは、いろいろなくにのしょくりょうひんがかえる。

3．このメロンは、いっこで5000えんもする。

4．とうなんアジアのにほんごきょういくについてほうこくがあります。

5．ことしのこめのせいさんは、きたいしたほどではなかった。

ユニット 3 ──────────────────────── 読み物

＜買物すごろく　（Shopping Game）＞

学生は、自分の名前を書いたコマを作ります。さいころをふって、目の数だけすすんでください。止まった所の漢字が読めて、そこに買える品物があれば、先生からその品物の名前を書いてあるカードをもらってください。止まった所の漢字が読めなければ、３つもどってください。もどった時は買物できません。品物を３つ以上（いじょう）買って、早く家へ帰った人が勝ち（かち　winner）です。

買物 に出かける　↓

⑳ チェック　品物が３つあれば、家へ帰れる。なければ、⑮へ　↓

⑲ 辞書と本を買う　次が２なら⑳へ

⑱ 手紙を出しに④へもどる

⑰ 次が３か４にもどる

残念！　本日の営業時間は終わりました。もう買物はできません。　↑

① お金を落とす

② 売店で雑誌を買う

③ 電車に乗る

④ 郵便局へ行く

⑤ ラッキー！　お酒を買って、⑨へ行ける

⑥注意！　当店は工事中で買物できません。一回休んで下さい

☆☆☆☆☆☆☆☆☆☆
☆　帰　宅　☆
☆☆☆☆☆☆☆☆☆☆

おつかれ様！

⑯ 次が５か６の時　台所用品売り場でフライパンを買う

⑮ 楽器売り場でギターを買う　次に５か６が出れば、⑲へ

⑦ 食器を買う

⑧ 家具をさがす

⑨ カメラを買う

⑩ 時計が三割引

⑪ 洗面所へ行く

⑫ 洋服を選ぶ

⑬ 次に１が⑮へ出すればすむ

喫茶店でお茶を飲む

⑭ デパートが火事！　消火のため一回休み　持っている品物を落とす（カードを一つ返す）

＊先生はこのページを拡大して、すごろく盤を作り、また品物の名前を書いたカードを用意してください。

|||||||||||||||||||||||||||||||||||||||||| 復　　習 ||||||||||||||||||||||||||||||||||||||||||

Review Lessons 31−35

N： 案(内)　線　交(通)　機関　テレビ局　(道)路　(事)故

　　自由　台(所)　窓　用具　(食)器　(洋)服　(手)紙

　　辞(書)　雑誌　(銀)行　資(本)　(商)品　個(人)

　　(物)価　(人)々

Ad： 特に　　急に

V： 泊まる　急ぐ　信じる　押す　引く　割る

　　取る　求める　願う　知る

VN： 旅(行)する　(予)約する　準備する　　相談する

　　　連絡する　　(出)発する　到(着)する　注意する

　　　(経)営する　(生)産する　期(待)する　報告する

＜語構成（3）＞

◇ 漢字のことばの中には、次のような長いことばがあります。

漢字3字： 図書館　食料品　小説家　新学期　古新聞　不親切
漢字4字： 大学病院　入学試験　電話連絡
漢字5字： 旅行案内所　自動車工場　大学院進学
漢字6字： 国立教育会館　経済情報雑誌　都市交通問題
それ以上： 産業別労働人口　学校教育問題研究会

◇ 長い漢字のことばは小さい意味の単位（a meaningful unit）に分けることができます。
たんい

意味の関係（relation）

（□□）＋ □：　外国人 → 外国 ＋ 人 ＝ 外国の人
　　　　　　　　研究所 → 研究 ＋ 所 ＝ 研究する所
　　　　　　　　物価高 → 物価 ＋ 高 ＝ 物価が高いこと

　□ ＋（□□）：　古新聞 → 古 ＋ 新聞 ＝ 古い新聞
　　　　　　　　不合格 → 不 ＋ 合格 ＝ 合格しないこと
　　　　　　　　不親切 → 不 ＋ 親切 ＝ 親切ではないこと

（□□）＋（□□）：国立病院 → 国立 ＋ 病院 ＝ 国立の病院
　　　　　　　　有名大学 → 有名 ＋ 大学 ＝ 有名な大学
　　　　　　　　勉強部屋 → 勉強 ＋ 部屋 ＝ 勉強する部屋
　　　　　　　　料理上手 → 料理 ＋ 上手 ＝ 料理が上手なこと
　　　　　　　　東京案内 → 東京 ＋ 案内 ＝ 東京を案内すること
　　　　　　　　電話連絡 → 電話 ＋ 連絡 ＝ 電話で連絡すること
　　　　　　　　自由行動 → 自由 ＋ 行動 ＝ 自由に行動すること

その他：　　　　不合格者 →（不 ＋ 合格）＋ 者 ＝ 合格しなかった者
　　　　　　　　新宿駅前 →（新宿 ＋ 駅）＋ 前 ＝ 新宿の駅の前
　　　　　　　　前都知事 → 前 ＋（都 ＋ 知事）＝ 前の（東京）都の知事

[**練習**] Ⅰ. 次の漢字のことばを小さい単位に分けて、意味の関係をかんがえなさい。

1. 新学期→　　　　　　　　11. 予約席→

2. 営業中→　　　　　　　　12. 研究室→

3. 国産品→　　　　　　　　13. 有名人→

4. 台所用品→　　　　　　　14. 料理番組→

5. 都道府県→　　　　　　　15. 練習問題→

6. 海外生活→　　　　　　　16. 漢字学習→

7. 入学試験→　　　　　　　17. 電話予約→

8. 結婚資金→　　　　　　　18. 新入社員→

9. 大学院進学→　　　　　　19. 頭上注意→

10. 自動車生産台数→　　　　20. 旅行案内所→

Ⅱ. ヒントを見て、□ の中に適当な漢字を書きなさい。

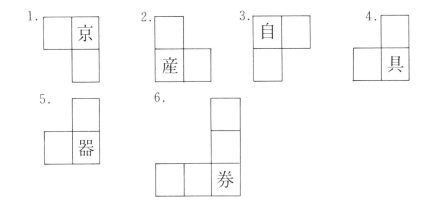

[ヒント]	1	2	3
た　　て	地　名	する動詞	な形容詞
よ　　こ	地　名	農・工・商	自分ですること

[ヒント]	4	5	6
た　　て	ふとん・まくらなど	コップ・さらなど	通学用
よ　　こ	ペン・ノートなど	ピアノ・ギターなど	速い電車

第36課

感情 表現 （Kanji for Feelings）
かんじょうひょうげん

人間（にんげん）の心（こころ）の動き、気持ち、感情（かんじょう）をあらわす。

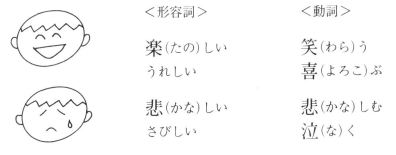

＜形容詞＞

楽（たの）しい
うれしい

悲（かな）しい
さびしい

恥（はずか）しい　to be ashamed, shy
こわい　to be afraid（of）
うらやましい　envious

＜動詞＞

笑（わら）う
喜（よろこ）ぶ

悲（かな）しむ
泣（な）く

怒（おこ）る　to get angry
驚（おどろ）く＝びっくりする
　　　　　　　　to be surprised
うらやむ　to envy
がっかりする　to be disappointed

[クイズ] 下の絵（え）を見て、どんな気持ちか、考（かんが）えてください。

ユニット 2 ──────────────第三十六課の基本漢字

2－1. 漢字の書き方

漢字	意味	くんよみ	オンヨミ	（画数）
400 心	heart	こころ	シン	（4）

丿	心	心	心						

心（こころ）　a heart, mind　　　　　心理学（しん・り・がく）　psychology
心配（しん・ぱい）する　to worry　　関心（かん・しん）　interest

漢字	意味		オンヨミ	（画数）
401 感	feel sense		カン	（13）

丿	厂	厂	厈	后	后	咸	咸	咸	咸	感	感	感

感（かん）じる　to feel　　　　　　感心（かん・しん）する　to be impressed
感覚（かん・かく）　a sense　　　　感謝（かん・しゃ）する　to thank

漢字	意味	くんよみ	オンヨミ	（画数）
402 情	emotion state of affairs	なさ-け	ジョウ （セイ）	（11）

丿	忄	忄	忄	忤	忭	情	情	情	情	情

情（なさ）けない　miserable　　　　情報（じょう・ほう）　information
感情（かん・じょう）　a feeling

漢字	意味	くんよみ	オンヨミ	（画数）

403 悲 | sorrow | かな-しい / かな-しむ | ヒ | (12)

丿 ｺ ｺ ヲ ヨ 非 非 非 非 悲 悲 悲

悲（かな）しい　sad　　　　　　　　悲（かな）しむ to feel sad
悲劇（ひ・げき）　a tragedy

404 泣 | weep / cry | な-く | （キュウ） | (8)

ﾉ ﾆ ｼ ｼ 汀 汁 泣 泣

泣（な）く　to cry, to weep
＊ animal's cry＝鳴（な）く

405 笑 | laugh / smile | わら-う | ショウ | (10)

ﾉ ﾄ ﾄ ﾄﾞ ﾄﾞ 竹 竹 竺 笨 笑

笑（わら）う　to laugh, to smile　　　　笑（わら）い　laughter, a smile
＊笑顔（え・がお）　a smiling face

406 頭 | head / leader | あたま | トウ / ズ | (16)

一 厂 戸 戸 戸 豆 豆 豆 豇 頭 頭 頭 頭 頭 頭

頭（あたま）　a head　　　　　　頭痛（ず・つう）　a headache
頭金（あたま・きん）　down payment　　頭部（とう・ぶ）　the head

漢字	意味	くんよみ	オンヨミ	（画数）
407 覚	awake sense	さ-める/おぼ-える さ-ます	カク	（12）

、　　゛　　ツ　　ヴ　　ヴ　　学　　学　　学　　学　　学　　学　　覚

覚（おぼ）える　to memorize　　　　　　　目覚（め・ざ）まし時計　an alarm clock
感覚（かん・かく）　a sense

408 忘	forget	わす-れる	ボウ	（7）

、　　亠　　㐄　　㐄　　忘　　忘　　忘

忘（わす）れる　to forget　　　　　　　忘（わす）れ物（もの）　a thing left behind
忘年会（ぼう・ねん・かい）　a year-end party

409 考	think	かんが-える	コウ	（6）

一　　十　　土　　耂　　耂　　考

考（かんが）える　to think　　　　　　考（かんが）え　a thought, an idea
考古学（こう・こ・がく）　archaeology　　　選考（せん・こう）する　to select

２－２．読み練習

Ⅰ．　次の漢字の読み方をひらがなで書きなさい。

1. 覚える　　2. 考える　　3. 忘れる　　4. 泣く　　　5. 悲しむ

6. 笑う　　　7. 感じる　　8. 心　　　9. 感情　　10. 頭

Ⅱ．　次の漢字の読み方をひらがなで書きなさい。

1. 彼が漢字をよく覚えているので、感心した。 I was impressed with him because
he memorizes kanji well.

2. 目覚まし時計を部屋に忘れて来ました。

3. 人は楽しい時に笑い、悲しい時に泣く。

4. 日本人は年の終わりに友だちと酒を飲んで、悲しいことやいやなことを
忘れる。これを「忘年会」という。 unpleasant

5. 赤んぼうが泣くことはいい運動ですから、安心してください。

6. 彼女はとても頭がいいが、冷たい人だ。

7. 彼は日本の政治に関心がある。

8. 寒いので、手足の感覚がなくなった。

9. あの子はまだ小さいので、感情のコントロールが下手だ。

10. 京子さんはあまり話さないが、話す時はよく考えて話す。

2－3．書き練習

I. □に適当な漢字を入れなさい。

1. a heart
□
こころ

2. a head
□
あたま

3. to cry
□く
な

4. to laugh
□う
わら

5. to memorize
□える
おぼ

6. to forget
□れる
わす

7. to think
□える
かんが

8. to feel
□じる
かん

9. a feeling
□□
かん　じょう

10. sad
□しい
かな

II. □に適当な漢字を入れなさい。

1. to feel relieved
□□する
あん　しん

2. to worry
□配する
しん　ぱい

3. to be impressed
□□する
かん　しん

4. helpless
□細い
こころ　ぼそ

5. reassuring
□□い
こころ　づよ

6. sense
□□
かん　かく

7. psychology
□□□
しん　り　がく

8．I'd like to express my heart-felt thanks to you all. (for a formal speech)

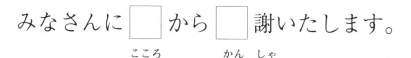

みなさんに ☐ から ☐ 謝いたします。
　　　　　こころ　　　　かん　しゃ

9．humanity　　10．love　　11．a complaint　　12．to wake up

 ☐☐　　愛☐　　苦☐　　☐を☐ます
にん　じょう　　あい　じょう　　く　じょう　　め　　さ

13．information　　14．a tragedy　　15．a smiling face　　16．a headache

☐☐　　☐劇　　☐顔　　☐☐
じょう　ほう　　ひ　げき　　え　がお　　ず　つう

17．way of thinking　　18．a year-end party　　19．a thing left behind

☐え☐　　☐☐☐　　☐れ☐
かんが　　かた　　ぼう　ねん　かい　　わす　　もの

Ⅲ．次の（　）に適当な漢字を書きなさい。

1．（　　　）で（　　）を（　　）みすぎて（　　　）がする。
　　ぼうねんかい　　さけ　　の　　ずつう

2．（　　）たい（　　）の中で（　　　）をしていると、手の（　　　）がなくなる。
　　つめ　　ゆき　　しごと　　かんかく

3．（　　）の（　　　）がなおって、（　　　）した。
　　はは　　びょうき　　あんしん

4．（　　　）には（　　）じ国の人がいるので（　　　）い。
　　けんきゅうしつ　　おな　　こころづよ

5．テレビや（　　　）がないと、（　　　）しい（　　　）が入らない。
　　しんぶん　　あたら　　じょうほう

ユニット 3 ──────────────── 読み物

＜体と心─ストレス度チェック─＞

→ はい

～→ いいえ

出発点

```
┌──────────┐     ┌──────────┐     ┌──────────┐     ┌──────────┐
│あまり食べ │ →  │急に意味も │ →  │理由もなく │ →  │悲しい。  │ → A
│たくない。 │     │なく笑うこ │     │泣きたくな │     │死（し）を│
│          │     │とがある。 │     │る。      │     │考えること│
│          │     │          │     │          │     │もある。  │
└──────────┘     └──────────┘     └──────────┘     └──────────┘
```

```
┌──────────┐     ┌──────────┐     ┌──────────┐     ┌──────────┐
│食べすぎて │ →  │自分がいや │ →  │１週間に１ │     │疲れた時、│
│しまう。間 │     │になること │     │～２回よく │     │ケーキや  │
│食も多い。 │     │がある。   │     │寝られない │     │チョコレー│ → B
│          │     │          │     │ことがある │     │トがほしい│
└──────────┘     └──────────┘     └──────────┘     └──────────┘
```

```
┌──────────┐     ┌──────────┐     ┌──────────┐     ┌──────────┐
│一晩寝ても │ →  │時間があっ │ →  │目上の人に │     │イライラし│
│疲れがとれ │     │ても何をす │     │たのまれる │     │て、タバコ│
│ない。頭が │     │ればいいか │     │と、いやと │     │やコーヒー│ → C
│よく痛む。 │     │分からない │     │言えない。 │     │がほしい。│
└──────────┘     └──────────┘     └──────────┘     └──────────┘
```

```
┌──────────┐     ┌──────────┐     ┌──────────┐     ┌──────────┐
│予定をたて │     │いつもイラ │ →  │趣味やスポ │ →  │家の中はい│
│ることが好 │     │イラしてい │     │ーツはあま │     │つもきれい│ → D
│きだ。     │     │ると感じる │     │りしない。 │     │小さい事を│
│          │     │          │     │元気がない │     │覚えている│
└──────────┘     └──────────┘     └──────────┘     └──────────┘
```

＊ストレス　a stress (desease)　　　　　　～度（ど）　degree of ～
　死（し）　death　　　　　　　　　～がいやになる　to be disgusted with ～
　いやと言う　to say "No"　イライラする　　　to be irritated, to be nervous

A　ストレス度80〜100％

　　あなたは、ストレスがとても高いグループに入ります。危険（きけん）！　一番いいことは、すぐに長い休みを取って、どこかへ出かけること。外国に行くか、海や山でのんびり。とにかく気分を変えることが大切です。休みを取っても、家で寝ているだけというのはダメですよ！生活を朝中心に変えてください。問題がある場合は、専門家に相談すること。

B　ストレス度50〜80％

　　あなたはストレスによわいタイプです。今もストレスがたまっています。毎日の食生活をもう一度考えてみてください。チョコレートやケーキなど、あまい物を食べすぎていませんか。カロリーの取りすぎは、イライラの原因です。スパイシーなエスニック料理やタバコもやめたほうがいいですよ！肉より野菜を食べましょう。休日はアウトドア・ライフを楽しんでください。

C　ストレス度20〜50％

　　あなたのストレス度は、かるいです。それほど大きい問題はありませんから、心配しなくてもいいでしょう。でも、ストレスがたまらないようにすることは大切。たとえば、タバコ、お酒、おかしの中から一つだけやめましょう。ほかの人の悪口を言うことは良くありません。カラオケで歌う、スポーツをする、などがいいでしょう。

D　ストレス度０〜20％

　　あなたは上手にストレスをコントロールすることができます。いやなことは早く忘れて、何にでも関心を持つことができる人ですね。安心して、楽しい生活を続けてください。

（雑誌『anan』1988年６月３日号より）

知っていますか　　できますか

<体の部分>

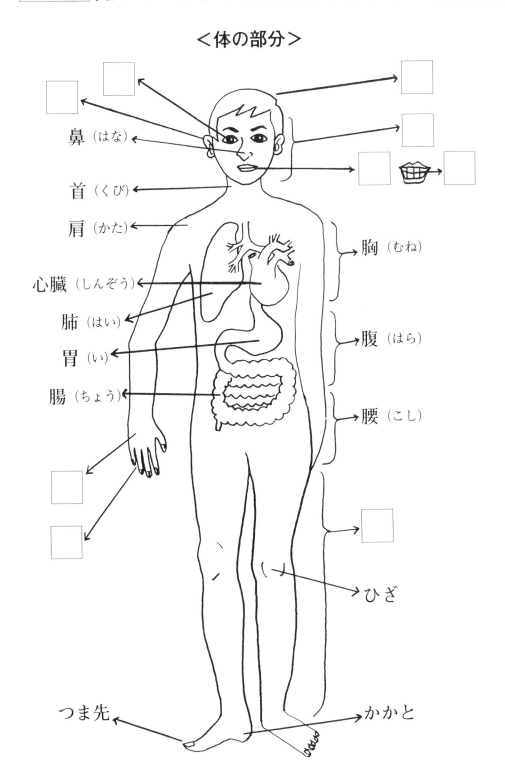

鼻 （はな）

首 （くび）

肩 （かた）

心臓 （しんぞう）

肺 （はい）

胃 （い）

腸 （ちょう）

胸 （むね）

腹 （はら）

腰 （こし）

ひざ

つま先

かかと

体の部分の名前を覚えましょう。

1. 頭 （あたま）
2. 顔 （かお）
3. 目 （め）
4. 耳 （みみ）
5. 鼻 （はな）
6. 口 （くち）
7. 歯 （は）
8. 首 （くび）
9. 肩 （かた）
10. 胸 （むね）
11. 心臓 （しんぞう）
12. 肺 （はい）
13. 腹 （はら）
14. 胃 （い）
15. 腸 （ちょう）
16. 腰 （こし）
17. 手・腕 （て・うで）
18. 指 （ゆび）
19. 足・脚 （あし）

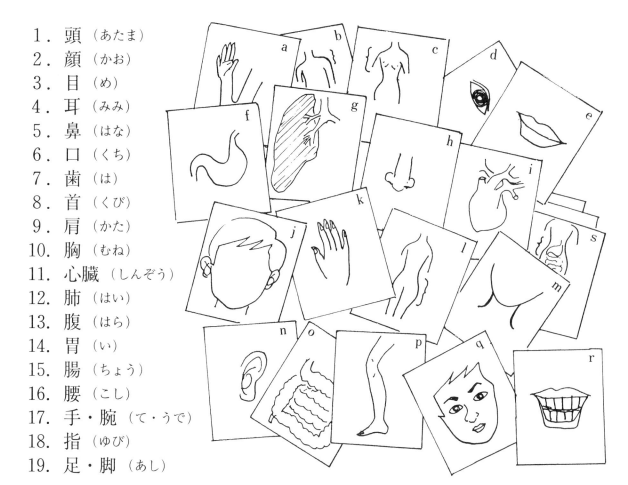

☆上の漢字の中には、その部首に「月」があるものが多いですね。この部首は、「肉」を
あらわします。

：胸　肺　腸　腰　腕　脚
：肩　胃

☆「臓」の漢字は、内臓（ないぞう，internal organs）の名前に使われます。

　心臓 （しんぞう）　　heart
　肝臓 （かんぞう）　　liver
　すい臓 （すいぞう）　　pancreas

第37課

ユニット 1 ──────────────── 漢字の話

動詞 −5−：自動詞と他動詞 (Intransitive Verbs & Transitive Verbs)

◇動詞の漢字の中には、送りがながかわると、自動詞（じどうし）から他動詞（た
どうし）に、他動詞から自動詞にかわるものがあります。

子どもたちが集(あつ)まる

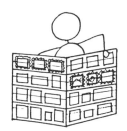

切手を集(あつ)める

家が焼(や)ける

パンを焼(や)く

◇つぎの漢字は、自動詞のときと他動詞のときと読み方が違います。

入 （自）：家の中に入(はい)る
　 （他）：本をカバンの中に入(い)れる
出 （自）：家の外に出(で)る
　 （他）：本をカバンの中から出(だ)す
消 （自）：火が消(き)える
　 （他）：火を消(け)す

自動詞

$$\boxed{\sim \text{が} \quad \text{Vi.}}$$

Intransitive Verbs

他動詞

$$\boxed{\sim \text{が} \quad \sim \text{を} \quad \text{Vt.}}$$

Transitive Verbs

（1）　　　-aru

止まる

閉まる

始まる

集まる（あつまる）

伝わる（つたわる）

代わる（かわる）

変わる（かわる）

-eru

止める

閉める

始める

集める（あつめる）

伝える（つたえる）

代える（かえる）

変える（かえる）

（2）　　　-u

立つ

開く

並ぶ（ならぶ）

進む（すすむ）

続く（つづく）

-eru

立てる

開ける

並べる（ならべる）

進める（すすめる）

続ける（つづける）

（3）　　　-u

動く

喜ぶ（よろこぶ）

驚く（おどろく）

-asu

動かす

喜ばす（よろこばす）

驚かす（おどろかす）

（4）　　　-ru

通る

渡る

移る（うつる）

-su

通す

渡す

移す（うつす）

（5）　　　-eru

割れる

折れる

焼ける（やける）

脱げる（ぬげる）

-u

割る

折る

焼く（やく）

脱ぐ（ぬぐ）

（6）その他：入る／入れる，出る／出す，落ちる／落とす，
　　　　　乗る／乗せる，消える／消す，降りる／降ろす，など

ユニット 2 ——————————————— 第三十七課の基本漢字

2－1. 漢字の書き方

	漢字	意味	くんよみ	オンヨミ	（画数）
410	伝	transmit legend	つた-わる つた-える	デン	（6）

ノ	イ	仁	仁	伝	伝						

伝（つた）える　to transmit　　　　　＊手伝（て・つだ）う to help, to assist
伝記（でん・き）　a biography

	漢字	意味	くんよみ	オンヨミ	（画数）
411	代	substitution period, fee	か-わる か-える	タイ ダイ	（5）

ノ	イ	仁	代	代							

代（か）わる　to substitute　　　　代表（だい・ひょう）する　to represent
時代（じ・だい）　an era　　　　　部屋代（へ・や・だい）　room rent

	漢字	意味	くんよみ	オンヨミ	（画数）
412	呼	call	よ-ぶ	コ	（8）

）	口	口	口ノ	口ノ	口ソ	呼	呼				

呼（よ）ぶ　to call
呼出（よび・だ）し　calling

漢字	意味	くんよみ	オンヨミ	（画数）

413 焼　burn　　や-ける　　ショウ　　や-く　　（12）

丶　丷　少　火　灯　灯　炷　炷　焼　焼　焼　焼

焼（や）く　to burn, to roast　　　焼（や）き肉（にく）　grilled meat
日焼（ひ・や）け　sunburn

414 曲　bend, curve　melody　　ま-がる　　キョク　　ま-げる　　（6）

丨　冂　巾　曲　曲　曲

曲（ま）がる　to curve　　　曲線（きょく・せん）　a curved line
曲（ま）げる　to bend　　　作曲家（さっ・きょく・か）　a composer

415 脱　undress　drop out　　ぬ-げる　　ダツ／ダッ-　　ぬ-ぐ　　（11）

丿　几　月　月　月　月　脃　脃　脱　脱　脱

脱（ぬ）ぐ　to undress, to take off

416 別　separate　part with　　わか-れる　　ベツ　　（7）

丶　冂　口　㕚　另　別　別

別（わか）れる　to part from　　　別（べつ）の　different, another
特別（とく・べつ）な　special　　　性別（せい・べつ）　distinction of sex

漢字	意味	くんよみ	オンヨミ	（画数）

417 集　collect / assemble　　あつ-まる / あつ-める　　シュウ　　（12）

ノ　イ　イ´　イ´　什　什　隹　隹　隹　隼　隼　集

集（あつ）める　to collect　　　　集合（しゅう・ごう）する　to gather
集（あつ）まる　to gather　　　　集中（しゅう・ちゅう）する　to concentrate

418 並　line up　　なら-ぶ / なみ　　ヘイ　　（8）
なら-べる

ヽ　ソ　ソ　ヤ　並　並　並　並

並（なら）ぶ　to line up　　　　並（なみ）の　ordinary
並木（なみ・き）　a tree-lined road　　　　並列（へい・れつ）　parallel

419 喜　joy / pleasure　　よろこ-ぶ　　キ　　（12）

一　十　士　寺　吉　吉　声　青　壴　喜　喜　喜

喜（よろこ）ぶ　to be glad　　　　喜（よろこ）び　pleasure
喜劇（き・げき）　a comedy

420 驚　surprise / astonish　　おどろ-く　　キョウ　　（22）

一　十　サ　ザ　芍　芍　苟　苟　苟´　苟ケ　敬ケ　敬　敬　敬　警　警
驚　驚　驚　驚　驚

驚（おどろ）く　to be surprised
驚（おどろ）き　surprise

2—2．読み練習

Ⅰ．次の漢字の読み方をひらがなで書きなさい。

1．喜ぶ　　2．驚く　　3．別れる　　4．呼ぶ　　5．伝える　　6．代わる

7．焼く　　8．脱ぐ　　9．集める　　10．並ぶ　　11．曲がる　　12．伝言

Ⅱ．次の漢字の読み方をひらがなで書きなさい。

1．朝9時に駅の前に集合するように伝えてください。

2．留学生を代表して、喜んであいさつさせていただきます。

ひょう
to greet

3．名前を呼ぶまで並んで待っていてください。

4．その角を右に曲がると、小さい家々が並んでいます。

かど

5．「友人の代わりに東京へ行く。」という伝言を聞いて驚いた。

6．家に入る時、脱いだくつをきちんと並べてください。

7．家が焼けたと聞いたので、急いで走ってくつが脱げた。

8．集まった人の前で彼は私のために特別に一曲歌ってくれました。

2-3. 書き練習

I. □に適当な漢字を入れなさい。

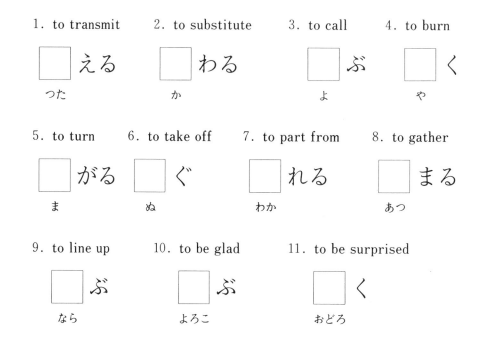

1. to transmit
□える
つた

2. to substitute
□わる
か

3. to call
□ぶ
よ

4. to burn
□く
や

5. to turn
□がる
ま

6. to take off
□ぐ
ぬ

7. to part from
□れる
わか

8. to gather
□まる
あつ

9. to line up
□ぶ
なら

10. to be glad
□ぶ
よろこ

11. to be surprised
□く
おどろ

II. □に適当な漢字を入れなさい。

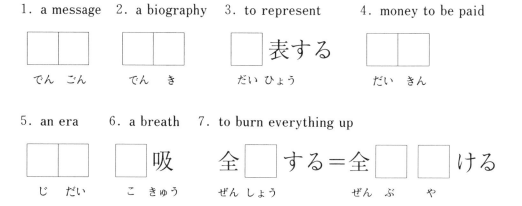

1. a message
□□
でん　ごん

2. a biography
□□
でん　き

3. to represent
□表する
だい　ひょう

4. money to be paid
□□
だい　きん

5. an era
□□
じ　だい

6. a breath
□吸
こ　きゅう

7. to burn everything up
全□する＝全□□ける
ぜん　しょう　　ぜん　ぶ　や

8. grilled meat

□き□
や　　にく

9. grilled chicken

□き□
や　　とり

10. to distinguish

□□する
く　べつ

11. to escape

□□する
だっ　しゅつ

12. different places

□の□
べつ　　ところ

13. special

□□な
とく　べつ

14. to compose

□□する
さっ　きょく

15. a curved line

□□
きょく　せん

16. a meeting place

□□□□
しゅう　ごう　ば　しょ

17. a tragedy and a comedy

□劇と□劇
ひ　げき　　き　げき

18. to concentrate

□□する
しゅうちゅう

Ⅲ.　次の文を適当な漢字を使って書きかえなさい。

1．しょうねんじだいには、たのしいおもいでがたくさんある。

2．ここはひとがおおいから、どこかべつのところではなしましょう。

3．にほんのじんこうは、だいとしにしゅうちゅうしている。

4．すみませんが、ちちにでんごんをおねがいします。

5．「えいご」の「えい」と「えいが」の「えい」をくべつすることができますか。

ユニット 3 ——————————————— 読み物

＜伝言ゲーム＞

　学生は２組に分かれてください。キャプテンだけが伝言文を読むことができます。（３分間、メモをしてもよい。）そして、それを次の人に伝えます。伝える時は、メモを見てもいいですが、日本語だけで伝えなければなりません。次の人は、聞いた伝言をまたその次の人に伝えます。そして、最後(さいご)の人がそれを紙に書いて先生に見せます。はやさ、書いた文が正しいかどうか、いくつ漢字を使っているか、などいろいろな点から先生が勝(か)った組を決めてください。

┌─ 伝言文１ ─────────────────────┐
きのうの晩友だちのリーさんから電話がありました。頭が痛くて、熱も高いそうです。私は驚いて、すぐ車でリーさんの部屋に行きましたが、今朝になっても、熱は下がりません。知っている医者がいたら、すぐ呼んでください。リーさんの電話番号は、51−3962です。私はリーさんのそばにいるつもりです。田中　道子
└──────────────────────────┘

┌─ 伝言文２ ─────────────────────┐
先週の土曜日に焼き鳥屋でラオさんに会いました。彼は２か月ぐらい国へ帰っていて、前の日に日本へもどったところだと言っていました。あなたが来週こちらへ来ることを話したら、とても喜んで、ぜひ会いたいと言っていましたから、いっしょに飲みましょう。では、来週の日曜日、夕方６時半に駅で待っています。

木村　良夫
└──────────────────────────┘

┌─ 伝言文３ ─────────────────────┐
今月は旅行したので、お金を全部使ってしまいました。31日にアパートの部屋代を払わなければならないのですが、１万円しかありません。すみませんが、２万５千円ほど貸してもらえませんか。来月の10日にはきっと返します。お願いします。

並木　公一
└──────────────────────────┘

＊伝言文１〜３のうち、適当なものを選んでやってください。先生はまず、文をそれぞれのキャプテンに見せ、読み終わったら、返してもらってください。読む時は、こえを出さないように注意してください。ゲームが終わってから、みんなに伝言文と学生の書いた文を見せて、説明します。

知っていますか　　　できますか

＜漢字のレタリング　（Kanji Lettering）＞

読んでみましょう。

1. 春

2. 自動車

3. 恩

4. 経済新聞　夕刊

5. 紙

6. 日本

7. ツリホステル

8. 日本映画

9. 意思

10. 北海道

11. 父

12. 知る

13. 週刊社会

14. 秋

15. 病院　年中無休

16. 情報

17. 新聞

18. 新茶まつり

19. 漢字

20. 漢字

第38課

形容詞の漢字 −3− （Adjectives −3−）

イ形容詞の対_{つい}
pairs

大きい	−	小さい	高い	−	低い
新しい	−	古い	高い	−	安い
長い	−	短い	太い	−	細い
多い	−	少ない	強い	−	弱い
明るい	−	暗い	広い	−	狭い
遠い	−	近い	速い	−	遅い
良い	−	悪い	早い	−	遅い
楽しい	−	悲しい	重い	−	軽い
冷たい	−	熱い	寒い	−	暑い
涼しい	−	暖かい	白い	−	黒い

ナ形容詞の対

便利だ	−	不便だ	親切だ	−	不親切だ
簡単だ	−	複雑だ	適当だ	−	不適当だ

不規則（ふきそく）な対
irregular

苦しい	−	楽だ
難しい	−	やさしい ／ 簡単だ
正しい	−	間違っている （動詞）
忙しい	−	ひまだ
若い	−	年よりだ （名詞）
元気だ	−	病気だ （名詞）

ユニット 2 ─────────────第三十八課の基本漢字

2−1. 漢字の書き方

漢字	意味	くんよみ	オンヨミ	（画数）
421 細	slender minute	ほそ-い/こま-かい ほそ-る	サイ	(11)

く	幺	幺	糸	糸	糸	糺	紃	細	細	細				

細（ほそ）い　slender
細（こま）かい　small, detailed

422 太	fat big	ふと-い ふと-る	タイ	（4）

一	ナ	大	太										

太（ふと）い　fat, thick　　太陽（たい・よう）　the sun
太（ふと）る　to get fat　　太平洋（たい・へい・よう）　the Pacific Ocean

423 重	heavy important	おも-い	ジュウ	（9）

ノ	一	亡	台	台	旨	重	重	重					

重（おも）い　heavy　　　　　　体重（たい・じゅう）　weight
重大（じゅう・だい）な　important　　重力（じゅう・りょく）　gravity

漢字	意味	くんよみ	オンヨミ	（画数）

424 軽　light　　かる-い　　　ケイ　　（12）

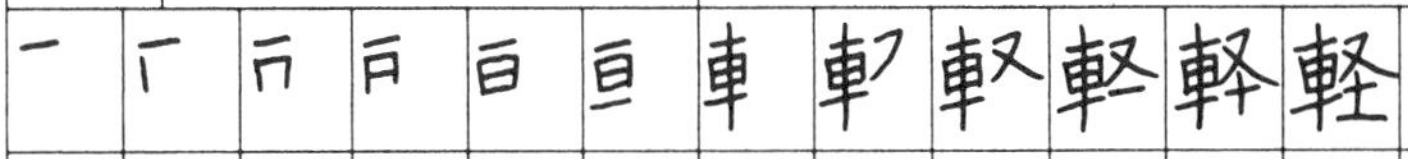

一　厂　亓　戸　亘　亘　車　軒　軒　軽　軽　軽

軽（かる）い　light
軽食（けい・しょく）　a snack

425 狭　narrow　　せま-い　　　キョウ　　（9）

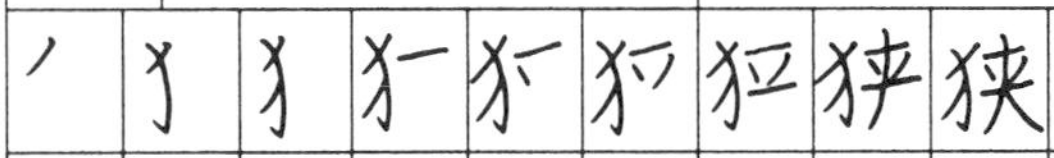

丿　犭　犭　�犭　犲　狔　狭　狭　狭

狭（せま）い　narrow, small

426 弱　weak　　よわ-い　　　ジャク
　　　　　　　　　　よわ-る　　　　　　（10）

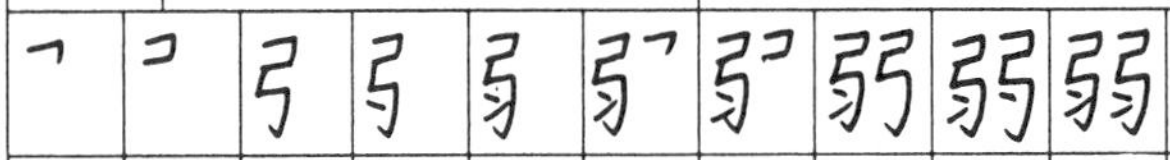

フ　コ　弓　弓　弓　弓゛　弓゛　弱　弱　弱

弱（よわ）い　weak　　　　　　　弱々（よわ・よわ）しい　fragile, vulnerable
弱（よわ）る　to weaken　　　　　弱点（じゃく・てん）　a weak point

427 眠　sleep　　ねむ-い　　　ミン
　　　　　　　　　　ねむ-る　　　　　　（10）

｜　冂　月　月　目　眀　眀　眠　眠　眠

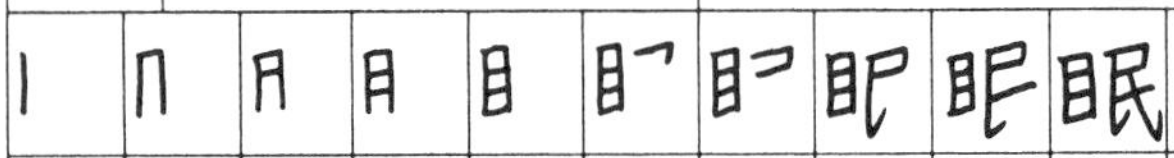

眠（ねむ）い　sleepy　　　　　　冬眠（とう・みん）　hibernation
眠（ねむ）る　to sleep

— 156 —

漢字	意味	くんよみ	オンヨミ	（画数）

428 苦 bitter

くる-しい/にが-い　　ク
くる-しむ

（8）

一　十　艹　丵　芏　芌　苦　苦

苦（くる）しい　painful　　　　　苦（くる）しむ　to suffer
苦（にが）い　bitter　　　　　　苦痛（く・つう）　pain

429 簡 simple
epistle

カン

（18）

丿　𠂉　𠂉　𥫗　𥫗　𥫗　竹　竹　竹　竹　竹　節　簡　簡　簡　簡　簡
簡

簡単（かん・たん）な　simple, easy
航空書簡（こう・くう・しょ・かん）　an aerogram

430 単 simple

タン

（9）

丶　丷　丷　丷　兴　兴　畄　畄　単

単（たん）に　only, simply　　　　単語（たん・ご）　a word
単位（たん・い）　a unit　　　　単数（たん・すう）　singular number

2－2．読み練習

Ⅰ． 次の漢字の読み方をひらがなで書きなさい。

　1．細い　　2．太い　　3．重い　　4．軽い　　5．眠い　　6．細かい

　7．苦しい　　8．狭い　　9．弱い　　10．苦い　　11．簡単な

Ⅱ． 次の漢字の読み方をひらがなで書きなさい。

1．グラムは重さの単位で、センチメートルは長さの単位です。

2．私はこのごろ太って、体重が5キロも重くなりました。

3．きのうの晩、胸が苦しくて、眠れませんでした。

4．太平洋、大西洋、インド洋を三大洋という。

5．軽自動車は狭い道でも簡単に走れるから便利だ。

6．この子は手足も細いし、体も弱いし、いつも病気で苦しんでいる。

7．すみませんが、1万円を細かくしてくださいませんか。

8．この単語の意味が分かりません。

9．この苦い薬を飲むと、よく眠れる。

2－3．書き練習

I. □に適当な漢字を入れなさい。

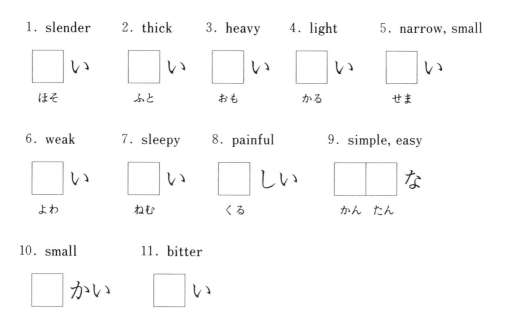

1. slender
□い
ほそ

2. thick
□い
ふと

3. heavy
□い
おも

4. light
□い
かる

5. narrow, small
□い
せま

6. weak
□い
よわ

7. sleepy
□い
ねむ

8. painful
□しい
くる

9. simple, easy
□□な
かん たん

10. small
□かい
こま

11. bitter
□い
にが

II. □に適当な漢字を入れなさい。

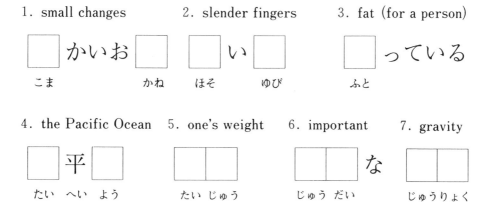

1. small changes
□かいお□
こま　　　かね

2. slender fingers
□い□
ほそ　ゆび

3. fat (for a person)
□っている
ふと

4. the Pacific Ocean
□平□
たい　へい　よう

5. one's weight
□□
たい じゅう

6. important
□□な
じゅう だい

7. gravity
□□
じゅうりょく

8. a word

□□
たん　ご

9. a snack

□□
けい　しょく

10. a light car

□□□□
けい　じ　どう　しゃ

11. fragile

□□しい
よわ　よわ

12. a weak point

□□
じゃく　てん

13. strong and weak

□□
きょうじゃく

14. a sound sleep

□□
あん　みん

15. a hard life

□しい □□
くる　　　せい　かつ

16. an aerogram

航空□□
こう　くう　しょ　かん

17. to be in a difficult position

□しい □□にある
くる　　　たち　ば

18. bitter tea

□いお
にが　　ちゃ

19. pain

□□
く　つう

Ⅲ. 次の文を適当な漢字を使って書きかえなさい。

1. もりたさんはふとっているが、からだがよわい。

2. こまかいおかねがないので、ひゃくえんかしてください。

3. くるしいせいかつをしているがくせいがおおい。

4. えんだかについて、わかりやすくかんたんにせつめいしなさい。

5. こんげつは、じゅうだいなニュースがおおかった。

ユニット 3 ──────────── 読み物

＜おいしくて簡単！カニ玉<ruby>玉<rt>たま</rt></ruby>の作り方＞
a crab omelet

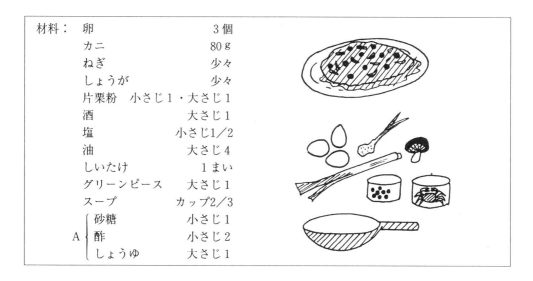

材料：	卵	3個
	カニ	80ｇ
	ねぎ	少々
	しょうが	少々
	片栗粉	小さじ1・大さじ1
	酒	大さじ1
	塩	小さじ1／2
	油	大さじ4
	しいたけ	1まい
	グリーンピース	大さじ1
	スープ	カップ2／3
A	砂糖	小さじ1
	酢	小さじ2
	しょうゆ	大さじ1

＊材料(ざいりょう) ingredients　卵(たまご) an egg ＝玉子
　3個(こ) three　カニ a crab　ねぎ a spring onion　しょうが ginger
　片栗粉(かたくりこ) starch　塩(しお) salt　しいたけ a mushroom
　砂糖(さとう) sugar　酢(す) vinegar　しょうゆ soy sauce
　大さじ a tablespoon　小さじ a teaspoon　なべ a saucepan
　中華(ちゅうか)なべ a wok　皿(さら) a plate　あん sauce

作り方：①材料を切る。ねぎとしょうがは細かく、しいたけは細く切る。
　　　　②卵をとき、カニ、ねぎ、しょうがを入れ、塩小さじ1／2と酒大さじ1と
　　　　　片栗粉小さじ1を水大さじ1でといたものに加えて、よくまぜる。
　　　　③中華なべに油大さじ4を入れ、強火で熱して、②でまぜたものを1度に流
　　　　　し入れる。
　　　　④手早くかきまぜる。
　　　　⑤半分ぐらい固まったら、火を弱くして、卵を円形にまとめ、ひっくり返す。
　　　　⑥強火にして、焼き色をつけ、皿にのせる。
　　　　⑦あんを作る。片栗粉大さじ1をなべに入れ、スープでとかす。Aを入れて、
　　　　　煮る。
　　　　⑧カニ玉にあんをかけて、できあがり。

＊料理によく使う動詞：　　切る to cut　　　　　　きざむ　to chop
　　　　　　　　　　　　　とく to beat (an egg)
　　　　　　　　　　　　　まぜる to mix　　　　　かきまぜる to stir up
　　　　　　　　　　　　　加(くわ)える to add　　熱(ねっ)する to heat
　　　　　　　　　　　　　流し入れる to pour　　まとめる to put together
　　　　　　　　　　　　　固(かた)まる to become hard, to set
　　　　　　　　　　　　　固(かた)める to harden
　　　　　　　　　　　　　とける to melt　　　　とかす to dissolve
　　　　　　　　　　　　　ひっくり返す to turn over
　　　　　　　　　　　　　煮(に)る to boil　　　　焼く to bake, to grill
　　　　　　　　　　　　　炒(いた)める to fry lightly
　　　　　　　　　　　　　蒸(む)す to steam
　　　　　　　　　　　　　かける to pour on, to put on

[問題] あなたの国の簡単な料理の作り方を説明してください。

料理の名前：＿＿＿＿＿＿＿＿＿＿＿＿

材料：

作り方：

□□□ 知っていますか □・□ できますか □□

＜洋服についている記号＞

1. せんいの種類（しゅるい）　kinds of fabric

綿（めん）　cotton　　　　　毛（け）　wool

麻（あさ）　linen　　　　　　絹（きぬ）　silk

ポリエステル　polyester

2. 洗濯の（せんたく）の仕方　how to wash

 水温40℃以下（いか、less than）／洗濯機の弱水流で洗う

 30℃以下　手で洗う

 ドライクリーニングができる

 水で洗ってはいけない

 アイロンは高温（180～210℃）でかけ、あてぬの（cloth）を使う

 アイロンは低温（80～120℃）でかける

 手で弱くしぼる（to squeeze）

 塩素系（えんそけい、chlorine, chloric）の漂白剤（ひょうはくざい、a bleach）が使える

問題：この洋服は、どのように洗ったらいいですか。

☆あなたの洋服についている記号を見てください。洗い方がわかりますか。

第39課

ユニット 1 ——————————————————— 漢字の話

空港 （Airport）
くうこう

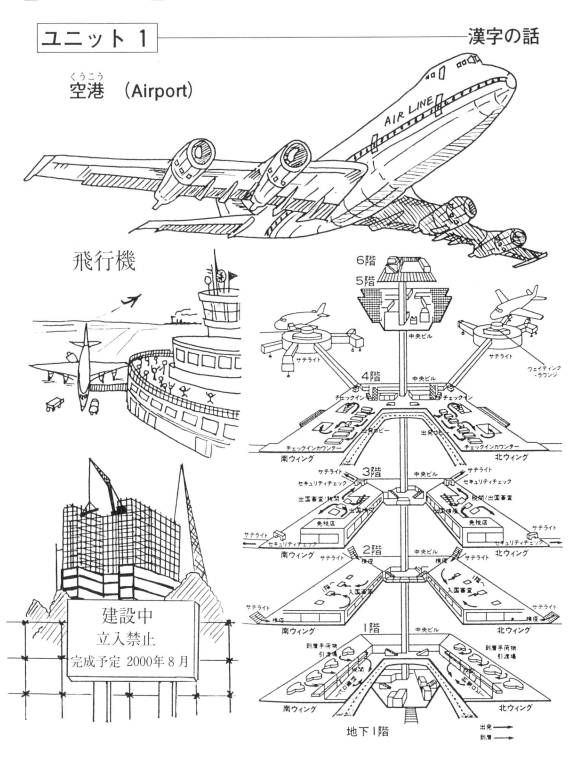

飛行機

建設中
立入禁止
完成予定 2000年8月

ユニット 2 ──────────第三十九課の基本漢字

2－1．漢字の書き方

漢字	意味	くんよみ	オンヨミ	（画数）
431 空	sky, air empty, vacant	あ-く ／そら あ-ける／から	クウ	（8）

`　丶　宀　宀　穴　空　空　空

空（そら）　sky
空席（くう・せき）　a vacant seat

空気（くう・き）　air
空間（くう・かん）　space

432 港	port harbor	みなと	コウ	（12）

`　氵　氵　汀　汢　洪　洪　洪　港　港　港

港（みなと）　a harbor, a port
港町（みなと・まち）　a port city

空港（くう・こう）　an airport

433 飛	fly	と-ぶ と-ばす	ヒ	（9）

乁　乁　飞　飞　飛　飛　飛　飛

飛（と）ぶ　to fly
飛行場（ひ・こう・じょう）　an airfield

飛行機（ひ・こう・き）　an airplane

漢字	意味	くんよみ	オンヨミ	（画数）

434 階
step
floor
カイ
（12）

｀ ３ ﾖ ﾖﾞ 阝ﾋ 阝ﾋ 阝比 阝比 阝比 階 階 階

～階（かい）　～ floors　　　　　　一階（いっ・かい）　the 1st floor
階段（かい・だん）　stairs　　　　　段階（だん・かい）　a step, a stage

435 建
build
construct
た-つ
た-てる
ケン
（9）

フ ﾖ ﾖ ﾖ ﾖ 聿 聿 建 建

建（た）つ　to be built　　　　　　建物（たて・もの）　a building
建（た）てる　to build　　　　　　建設（けん・せつ）する　to construct

436 設
found
establish
（もう-ける）
セツ
（11）

｀ 一 ﾆ 言 言 言 言 訳 設 設 設

設（もう）ける　to establish　　　　設立（せつ・りつ）する　to establish
設計（せっ・けい）する　to plan, to design

437 完
complete
カン
（7）

｀ 丷 宀 宀 宇 宇 完

完全（かん・ぜん）な　perfect
完成（かん・せい）する　to complete

漢字	意味	くんよみ	オンヨミ	（画数）

438 成 — form, emerge / な-る な-す / セイ （6）

) 厂 万 成 成 成

成人（せい・じん）　an adult　　成功（せい・こう）する　to succeed
成立（せい・りつ）する　to be organized　　成田（なり・た）　Narita

439 費 — spend expense / （つい-やす）　ヒ （12）

フ コ 弓 弗 弗 弗 費 費 費 費 費 費

費（つい）やす　to spend　　費用（ひ・よう）　an expense
食費（しょく・ひ）　food expenses

440 放 — release let go / はな-す　ホウ （8）

丶 亠 亍 方 扩 扩 放 放

放（はな）す　to let free
放送（ほう・そう）する　to broadcast

２－２．読み練習

Ⅰ．次の漢字の読み方をひらがなで書きなさい。

　　1．空　　2．港　　3．飛ぶ　　4．建てる　　5．成る　　6．空港　　7．費用

　　8．四階　　9．完成する　　10．放送する　　11．建設する

Ⅱ．次の漢字の読み方をひらがなで書きなさい。

　　1．成田空港から筑波まで車で１時間半ぐらいです。

　　2．飛行機に乗ると、早く着くが、費用が高くなる。

　　3．建設中の新空港は来年の十月に完成する予定だ。

　　4．そのホテルは40階建てのモダンな建物で、建設費は銀行が払った。

　　5．２月10日に放送されたテレビ映画は、仕事がなくて港町を出ていく若者の話
　　　だった。

　　6．１月15日は「成人の日」です。20才(はたち)になった人を成人といいます。

　　7．この建物を設計した人は、有名な金持ちで飛行機も持っている。

　　8．私の家は二階建てで、門の前に長い階段があります。

2－3．書き練習

Ⅰ． □に適当な漢字を入れなさい。

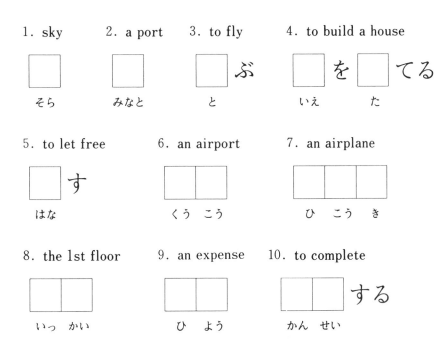

1. sky
   そら

2. a port
   みなと

3. to fly
   □ ぶ
   と

4. to build a house
   □ を □ てる
   いえ　　た

5. to let free
   □ す
   はな

6. an airport
   くう　こう

7. an airplane
   ひ　こう　き

8. the 1st floor
   いっ　かい

9. an expense
   ひ　よう

10. to complete
    □□ する
    かん　せい

11. to construct
    □□ する
    けん　せつ

12. to broadcast
    □□ する
    ほう　そう

Ⅱ． □に適当な漢字を入れなさい。

1. air
   くう　き

2. a vacant seat
   くう　せき

3. space
   くう　かん

4. vacant
   □ いている
   あ

5. a port town
□□
みなと まち

6. traveling expenses
□□□
こう つう ひ

7. an airfield
□□□
ひ こう じょう

8. stairs
□段
かい だん

9. a four-storied building
□□ての□□
よん かい だ　たて もの

10. a radio station
□□□
ほう そう きょく

11. to make a plan
□□する
せっ けい

12. to establish a school
□□を□□する
がっ こう　せつ りつ

13. an adult
□□
せい じん

14. to be organized
□□する
せい りつ

15. to succeed
□功する
せい こう

Ⅲ. 次の（　）に適当な漢字を書きなさい。

1. ふねが（みなと）をでることを（しゅっこう）と言います。

2. （あ）いている（せき）のことを（くうせき）と言います。

3. 乗り物にかかる（ひよう）のことを（こうつうひ）と言います。

4. （ひこうき）が着いたり出たりするところを（くうこう）と言います。

5. はたちになった人を　おいわいする日を（せいじん）の日と言います。

— 170 —

ユニット 3 ——————————————————— 読み物

＜成田空港＞

　新東京国際空港は、千葉県成田市にあり、成田空港とも呼ばれている。成田空港は1977年に第1期工事が終わり、4000メートルの滑走路1本と、旅客ターミナルと貨物ターミナルが完成した。そして、次の年に開港したが、計画では、あと2本滑走路を作ることになっている。この空港には1日180便の飛行機が発着し、旅客2万2千人、貨物1300トンを運んでいる。

　成田空港と都心を結ぶ交通機関は、主にリムジンバスと電車である。リムジンバスは都心の主なホテルまで直通で便利だが、都内の道路がいつもこんでいるので時間がかかるし、料金も電車よりだいぶ高い。電車はバスより時間も短くて安いが、重い旅行かばんを運ぶのはたいへんだ。空港が都心から遠すぎるというのが多くの利用者の意見である。

＊国際（こくさい）　international　　　　千葉（ちば）県　Chiba Pref.
　滑走路（かっそうろ）　a runway　　　　貨物（かもつ）　air cargo
　直通（ちょくつう）　non-stop service　　利用者（りようしゃ）　a user

[**問題1**]　次の文が正しければ○、間違っていれば×を書きなさい。

　（　　）成田空港は東京都にある。
　（　　）成田空港の別名は「新東京国際空港」である。
　（　　）成田空港は1977年に開港した。
　（　　）第1期工事が終わった時、成田空港には滑走路が2本あった。
　（　　）成田空港の旅客ターミナルは1977年に完成した。
　（　　）成田空港と都心を結ぶ交通機関はリムジンバスしかない。

[**問題2**]　リムジンバスと電車の長所と短所をそれぞれ書きなさい。

	長　　所	短　　所
リムジンバス		時間がかかり、高いこと
電　　車		

知っていますか　　できますか

＜どこの国？＞

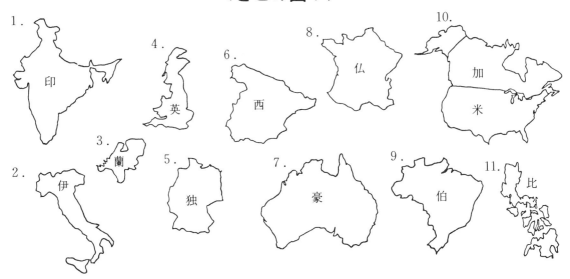

外国の国名や地名はふつうカタカナで書きますが、新聞などでは漢字の略語（りゃくご an abbreviated word）を使うことがあります。

米（亜米利加） べい	アメリカ	
伊（伊太利） い	イタリア	
印（印度） いん	インド	
蘭（和蘭陀） らん	オランダ	
豪（豪太刺利） ごう	オーストラリア	
加（加奈陀） か	カナダ	

西（西班牙） せい	スペイン
独（独逸） どく	ドイツ
比（比律賓） ひ	フィリピン
仏（仏蘭西） ふつ	フランス
伯（伯刺西爾） はく	ブラジル
欧州 おうしゅう	ヨーロッパ

◇つぎのことばの意味がわかりますか。

1. 来日する
2. 渡米する
3. 訪中する
4. 欧州旅行
5. 英仏 海峡
　　かいきょう
6. 独首 相
　　しゅしょう

7. 全豪オープンテニス
8. 和文英訳
　　　　やく
9. 印パ合同委員会
　　　　　　いいんかい
10. 英・独・西・伊・中・韓・露・日 各国語
　　　　　　　　　かん　ろ
11. 独和辞典
12. 前比 大統領
　　　　だいとうりょう

第40課

地　理 （Geographical Features）

　地図には地形を表(あらわ)すいろいろな記号やことばがたくさん出ています。
どんなものがあるか、見てみましょう。

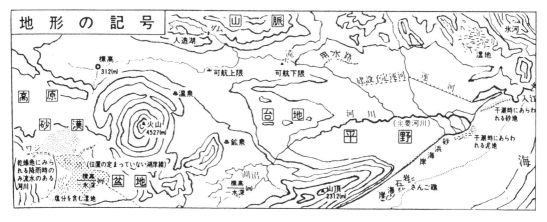

平野 （へいや）	a plain
高原 （こうげん）	highlands
砂漠 （さばく）	a desert
山脈 （さんみゃく）	a mountain range
台地 （だいち）	a plateau
盆地 （ぼんち）	a basin
運河 （うんが）	a canal

ユニット 2 ─────────── 第四十課の基本漢字

2－1. 漢字の書き方

漢字	意味	くんよみ	オンヨミ	(画数)

441	位	position approximate	くらい	イ	(7)

ノ　イ　仁　位　位　位　位

位(くらい)　rank　　　　　　　　　学位(がく・い)　a degree
第一位(だい・いち・い)　the 1st place　地位(ち・い)　position

442	置	put place	お-く	チ	(13)

| 置(お)く　to set, to lay　　　　　　置(お)き時計(ど・けい)　a table clock
位置(い・ち)　position, a location

443	横	horizontal side, wide	よこ	オウ	(15)

横(よこ)　the side　　　　　　横断(おう・だん)　crossing
横浜(よこ・はま)　Yokohama

漢字	意味	くんよみ	オンヨミ	（画数）

444 向　direction orientate　　む-く/む-こう　コウ　　む-ける　（6）

ノ　ⁿ　冂　向　向　向

向（む）く　to turn toward　　向（む）かう　to face
向（む）こう　on the other side, over there　　方向（ほう・こう）　a direction

445 原　field origin, basic　　はら　ゲン　（10）

一　厂　厂　厂　historic 历 盾… 戶 戶 原 原 原

野原（の・はら）　a field　　原子（げん・し）　an atom
原因（げん・いん）　a cause, a factor　　高原（こう・げん）　highlands

446 平　plain, flat even　　たい-ら　（ひら）　ヘイ　ビョウ　（5）

一　フ　ワ　立　平

平（たい）らな　flat, even　　平日（へい・じつ）　a weekday
平和（へい・わ）　peace　　平等（びょう・どう）　equality

447 野　field wild, untamed　　の　ヤ　（11）

丶　口　日　日　甲　甲　里　野　野　野　野

野山（の・やま）　hills and fields　　分野（ぶん・や）　a field, a sphere
野菜（や・さい）　vegetables　　野球（や・きゅう）　baseball

	漢字	意味	くんよみ	オンヨミ	（画数）
448	風	wind atmosphere	かぜ	フウ	（9）

｜ 几 凡 凡 凮 凬 凬 風 風

風（かぜ）　wind　　　　　　　　　　台風（たい・ふう）　a typhoon
北風（きた・かぜ）　a north wind　　　和風（わ・ふう）　Japanese style

	漢字	意味		オンヨミ	（画数）
449	両	both, two money		リョウ	（6）

一 一 冂 币 両 両

両親（りょう・しん）　parents　　　　　　車両（しゃ・りょう）　vehicles, cars
両替（りょう・がえ）　exchange of money　両方（りょう・ほう）　both

	漢字	意味	くんよみ	オンヨミ	（画数）
450	橋	bridge	はし	キョウ	（16）

一 十 オ 木 朳 柠 栌 柠 桥 桥 椿 椿 橋 橋 橋 橋

橋（はし）　a bridge　　　　　　　　　鉄橋（てっ・きょう）　an iron bridge
歩道橋（ほ・どう・きょう）　a pedestrian bridge

２−２．読み練習

Ⅰ．次の漢字の読み方をひらがなで書きなさい。

　　1. 風　　　2. 向き　　　3. 横　　　4. 橋　　　5. 両方　　　6. 置く

　　7. 位置　　8. 方向　　　9. 平野　　10. 高原　　11. 台風

Ⅱ． 次の漢字の読み方をひらがなで書きなさい。

1．専門分野によって違った問題がある。

2．和風の料理と洋風の料理と、どちらが好きですか。

3．日本は太平洋の西に位置している。　to be located

4．この土地は1平方メートル当り5万円位です。　per square meter

5．地図で見ると、この平野は、東に高原、北に山地があり、西が海に面している
から、風が強そうだ。

6．台風が西南の方向から接近しているから、強風に注意してください。
approaching

7．彼は原子力発電所で働いている。

8．銀行のキャッシュ・サービスは、平日は9時から6時まで、土曜は9時から2時
まで開いています。

9．私の両親は野 球 が好きで、両方ともジャイアンツのファンです。
きゅう

10．この野原の向こうにきれいな花畑がある。

11．橋を渡って、地理学研究所の横を入ると、郵便局があります。大きなポストが
置いてあるから、すぐ分かりますよ。

2－3．書き練習

I. □に適当な漢字を入れなさい。

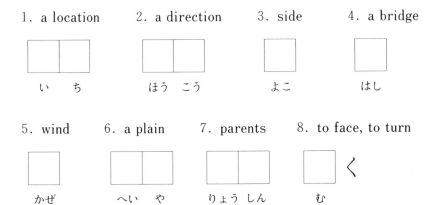

1. a location
い　ち

2. a direction
ほう　こう

3. side
よこ

4. a bridge
はし

5. wind
かぜ

6. a plain
へい　や

7. parents
りょう　しん

8. to face, to turn
む　く

II. □に適当な漢字を入れなさい。

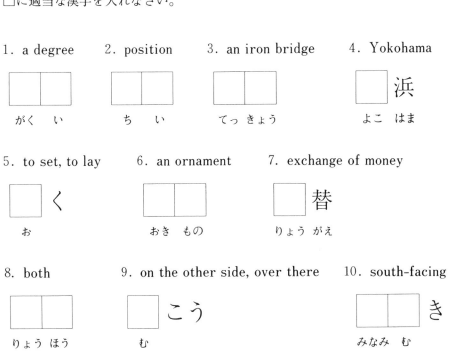

1. a degree
がく　い

2. position
ち　い

3. an iron bridge
てっ　きょう

4. Yokohama
よこ　はま　浜

5. to set, to lay
お　く

6. an ornament
おき　もの

7. exchange of money
りょう　がえ　替

8. both
りょう　ほう

9. on the other side, over there
む　こう

10. south-facing
みなみ　む　き

11. a field, a sphere　　12. a field　　13. vegetables　　14. a cause

ぶん	や

の	はら

□菜
や　さい

□因
げん　いん

15. highlands　　16. raw material　　17. a typhoon　　18. atomic energy

こう	げん

げん	りょう

たい	ふう

げん	し	りょく

19. flat　　20. a weekday　　21. peaceful　　22. the velocity of the wind

□らな
たい

へい	じつ

□□な
へい　わ

ふう	りょく	＝	ふう	そく

Ⅲ. 次の（　　）に適当な漢字を書きなさい。

1.（かんとう）（ちほう）に（たいふう）9（ごう）が（ちか）づいています。

2.（こんや）は（へいや ぶ）部でも（おおあめ）になるでしょう。

3.（ごご）4時の（いち）は、伊豆（いず はんとう）の（みなみ）30キロの海上です。

4.（たいふう）は（ふうそく）20メートルのスピードで（ほくほくとう）に（む）かって（すす）んでいます。

5.（よこ）浜に（す）んでいる（りょうしん）から（でんわ）があって、「（かぜ）が（つよ）くなってきたから、（いえ）が心配だ」と（い）っていました。

6.（ひとびと）は（じゆう）と（へいわ）のために（たたか）っている。

— 179 —

ユニット 3 ─────────────────── 読み物

＜日　本＞

　日本は太平洋の西に位置している島国で、まわりは全部海にかこまれている。北海道、本州、四国、九州という四つの大きな島と、たくさんの小さな島からできている。南北の長さは約３０００キロメートル、面積は３７万平方キロメートルである。東は太平洋、西は日本海で、外国とは直接接していない。

　日本は山国で、地図を見ると、平らな部分が海の近くに少ししかないのがよくわかる。国土の三分の二が山地である。山地のほとんどは火山の活動によってできたもので、今でも活動している火山も多く、その近くには温泉もあって、旅行者が多い。

　平野の部分には人がたくさん住んでいる。日本で一番広い平野は関東平野である。日本の首都、東京は関東平野の中心部にあって、日本の人口の十分の一にあたる約千二百万人がこの大都市に集中している。

```
＊本州（ほんしゅう）　Honshu
　面積（めんせき）　area, square measure
　～平方（へいほう）キロメートル　～ square kilometers
　直接（ちょくせつ）　directly　　接（せっ）する　to be bounded
　国土（こくど）　a country, a territory
　三分の二（さんぶんのに）　two thirds, 2／3
　温泉（おんせん）　a hot spring　　首都（しゅと）　a capital
　～にあたる　to be equal to　～
```

[問　題] 1. 日本の人口はどの位ですか。
　　　　　2. 温泉はどんな所にありますか。
　　　　　3. 日本には平地と山地とどちらが多いですか。その割合はどの位ですか。
　　　　　4. 日本の面積はどの位ですか。
　　　　　5. 上の文のような形式で、あなたの国について作文を書きなさい。

復　習

Review Lessons 36－40

N：心　頭　横　港　橋　風　空

　　関(心)　情(報)　(時)代　単位　空港

　　費(用)　位置　(方)向　原(子)　(分)野

　　平野　両(親)

A：細い　太い　重い　軽い　狭い　弱い

　　悲しい　　眠い　　苦しい

NA：特別な　　簡単な

V：感じる　泣く　笑う　覚える　忘れる　考える

　　伝える　代わる　呼ぶ　焼く　曲がる　脱ぐ

　　(手)伝う　集める　並べる　別れる　喜ぶ　驚く

　　飛ぶ　　建てる　　置く

VN：完成する　放(送)する　集(中)する　建設する

Suffix：〜階　　〜代

Lesson 40

Ⅰ. 次の漢字語は、「する」をつけて動詞として使うことができますか、「な」をつけて
形容詞として使うことができますか。両方できない時は、「×」と書きなさい。

1. 感情（　　　） 　　　11. 通知（　　　）

2. 伝言（　　　） 　　　12. 位置（　　　）

3. 方向（　　　） 　　　13. 空港（　　　）

4. 簡単（　　　） 　　　14. 建設（　　　）

5. 高原（　　　） 　　　15. 特別（　　　）

6. 完成（　　　） 　　　16. 安眠（　　　）

7. 感心（　　　） 　　　17. 重大（　　　）

8. 平野（　　　） 　　　18. 両方（　　　）

9. 集中（　　　） 　　　19. 費用（　　　）

10. 弱点（　　　） 　　　20. 放送（　　　）

Ⅱ. 形が似(に)ている漢字

1. かんが　　　　もの
□ える ＆ □
to think　　　a person

2. なに　　　　む　　　　おな
□ ＆ □ き ＆ □ じ
what　　direction　　same

3. くらい　　　な
□ ＆ □ く
rank　　　to cry

4. たい　　　　はん　　　　く
□ ら ＆ □ ＆ □ る
flat　　　a half　　to come

5. し　　　　わ
□ る ＆ □
to know　　Japanese

6. おも　　　くるま　　　ひがし
□ い ＆ □ ＆ □
heavy　　a car　　the east

— 182 —

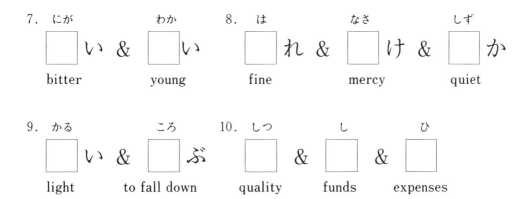

7.　にが　　わか
　□い & □い
　bitter　　young

8.　は　　　なさ　　しず
　□れ & □け & □か
　fine　　mercy　　quiet

9.　かる　　ころ
　□い & □ぶ
　light　　to fall down

10.　しつ　　　し　　　ひ
　□ & □ & □
　quality　funds　expenses

Ⅲ.　正しいものを選びなさい。

1. 山田先生の（a. 研空室　b. 研究室　c. 研究屋）の横に何がありますか。

2. 新しいビルを（a. 建誌　b. 建説　c. 建設）中だ。

3. 都市の地下には、水道やガスの（a. 大い　b. 太い　c. 犬い）パイプが通って
　いる。

4. 新幹線の（a. 運転手　b. 運軽手　c. 運輪手）になりたい。

5. あそこを右に（a. 田がって　b. 由がって　c. 曲がって）ください。

6. このコンピュータの使い方は（a. 笑単　b. 簡単　c. 間単）です。

7. 小さい女の子が（a. 忘　b. 悲　c. 泣）いている。

8. すみませんが、田中さんに（a. 伝言　b. 仁言　c. 位言）をお願いします。

Ⅳ.　同じ音（おん）の漢字　Kanji of the same 'ON' reading

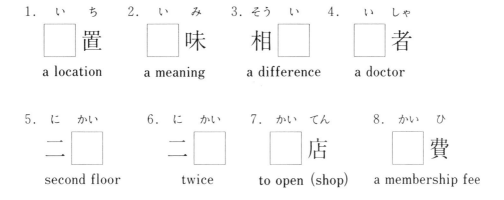

1.　い　　ち
　□置
　a location

2.　い　　み
　□味
　a meaning

3.　そう　い
　相□
　a difference

4.　い　　しゃ
　□者
　a doctor

5.　に　かい
　二□
　second floor

6.　に　かい
　二□
　twice

7.　かい　てん
　□店
　to open (shop)

8.　かい　ひ
　□費
　a membership fee

9. かん せい

□成

completion

10. かん かく

□覚

sense

11. じ かん

時□

time

12. かん たん

□単

simple

13. ほ どう きょう

歩道□

a pedestrian bridge

14. べん きょう

勉□

study

15. きょう かい

□会

a church

16. ほう こう

方□

a direction

17. くう こう

空□

an airport

18. し こう

思□

thought

19. がっ こう

学□

a school

20. けん せつ

建□

construction

21. せつ めい

□明

explanation

22. しん せつ

親□

kind

23. う せつ

右□

right turn

☆ほかにも音読みが同じ漢字はたくさんあります。この本の終わりに「音訓さくいん」が
ありますから、さがしてみましょう。

第41課

ユニット 1 ─────────────漢字の話

漢語 −2− (Kanji Compound −2−)

漢字を組み合わせていろいろなことばをつくることができます。

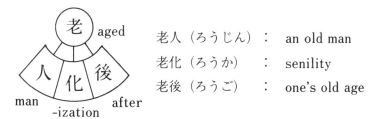

老人（ろうじん） ： an old man
老化（ろうか） ： senility
老後（ろうご） ： one's old age

◇ふたつの漢字の意味から（A）（B）のことばの意味を考えなさい。また、（C）の
中に適当な漢字をいれてことばをつくりなさい。

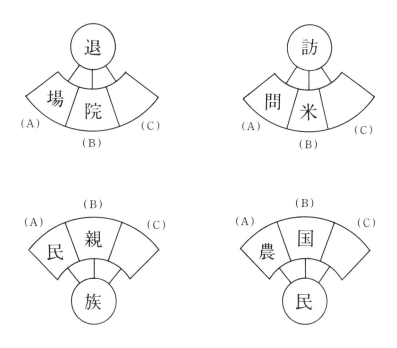

─ 185 ─

ユニット 2	第四十一課の基本漢字

2−1. 漢字の書き方

	漢字	意味	くんよみ	オンヨミ	(画数)
451	老	aged	(お-いる)	ロウ	(6)

一 十 土 耂 耂 老

老(お)いる to get old
老人(ろう・じん) an old man

敬老(けい・ろう)の日(ひ)
Respect for the Aged Day (Sept. 15)

	漢字	意味		オンヨミ	(画数)
452	族	tribe clan		ゾク	(11)

ヽ 亠 方 方 方 扩 扩 扩 旋 族

家族(か・ぞく) a family
民族(みん・ぞく) a race, a people

	漢字	意味	くんよみ	オンヨミ	(画数)
453	配	supply deliver	くば-る	ハイ/-パイ	(10)

一 厂 厅 两 西 酉 酉ᐟ 酉ᐟ 配

配(くば)る to deliver
心配(しん・ぱい)する to be anxious, to worry

配達(はい・たつ)する to deliver

漢字	意味	くんよみ	オンヨミ	（画数）

| 454 | 術 | art
skill | | ジュツ | （11） |

ノ　ク　イ　行　什　術　術　術　術　術　術

手術（しゅ・じゅつ）　an operation　　技術（ぎ・じゅつ）　art, skill
美術（び・じゅつ）　fine arts

| 455 | 退 | retreat | （しりぞ-く） | タイ | （9） |

フ　ヨ　ヨ　艮　艮　良　艮　退　退

退（しりぞ）く　to retreat　　　　退学（たい・がく）する　to leave school
退院（たい・いん）する　to leave hospital

| 456 | 効 | effect | き-く | コウ | （8） |

ヽ　亠　ナ　六　方　交　効　効

効（き）く　to work on, to be effective　有効（ゆう・こう）　validity
効果（こう・か）　an effect　　　　　無効（む・こう）　invalidity

| 457 | 民 | people
folk | （たみ） | ミン | （5） |

フ　コ　尸　民　民

国民（こく・みん）　a people, a nation　　難民（なん・みん）　refugees
市民（し・みん）　a citizen　　　　　　民族学（みん・ぞく・がく）　ethnology

漢字	意味	くんよみ	オンヨミ	（画数）

458 訪 | visit | たず-ねる
おとず-れる | ホウ | （11）

｀ ｜ ﹁ ㇒ ﹄ 言 言 言 訂 訪 訪

訪（たず）ねる　to call on　　　　　　訪（おとず）れる　to visit (a place)
訪問（ほう・もん）する　to pay a visit

459 顔 | face | かお | ガン | （18）

｀ ｜ ㇒ ㇒ 立 产 产 彦 彦 彦 彦 顏 顏 顏 顏 顏
顔

顔（かお）　face　　　　　　洗顔（せん・がん）する　to wash one's face
顔色（かお・いろ）　complexion

460 歯 | tooth | は | シ | （12）

｜ ㇑ ㇑ 止 止 歩 歩 芈 芈 茉 歯 歯

歯（は）　a tooth　　　　　歯科医（し・か・い）　a dentist
歯（は）ブラシ　a toothbrush　　　歯車（は・ぐるま）　a gear

2－2．読み練習

Ⅰ． 次の漢字の読み方をひらがなで書きなさい。

1．老人　　2．家族　　3．国民　　4．顔　　5．歯

6．心配する　⟷　安心する　　7．退院する　⟷　入院する

8．手術　　9．効果　　10．有効　⟷　無効　　11．訪ねる

Ⅱ． 次の漢字の読み方をひらがなで書きなさい。

1．彼女は顔色が悪いから、家族がみんな心配している。

2．父は病院で手術を受けて、先週退院した。

3．老人ホームにいる老いた母を訪ねる。

4．横田先生の専門は民族学で、よくアジアやアフリカの国々を訪問する。

5．来週の土曜日から市民ホールで美術展が開かれる。
てん

6．この薬は頭痛に効くと書いてあるが、いくら飲んでも効果がない。

7．駅前で若い人たちが平和運動のビラを配っている。

8．ひさしぶりに先生のお宅を訪ね、お元気そうな顔を見て、安心しました。

2－3．書き練習

I．□に適当な漢字を入れなさい。

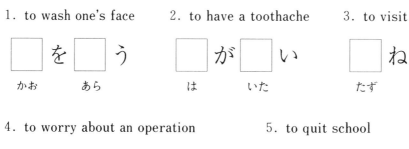

1. to wash one's face
□を□う
かお　あら

2. to have a toothache
□が□い
は　いた

3. to visit
□ねる
たず

4. to worry about an operation
□□の□□をする
しゅ じゅつ　しん ぱい

5. to quit school
□□する
たい がく

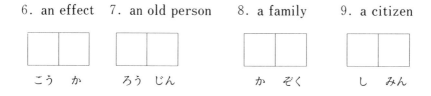

6. an effect
□□
こう　か

7. an old person
□□
ろう じん

8. a family
□□
か ぞく

9. a citizen
□□
し みん

II．□に適当な漢字を入れなさい。

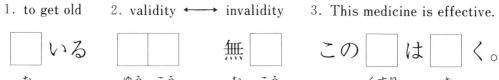

1. to get old
□いる
お

2. validity ⟷ invalidity
□□　無□
ゆう こう　む こう

3. This medicine is effective.
この□は□く。
くすり　き

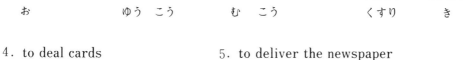

4. to deal cards
トランプを□る
くば

5. to deliver the newspaper
□□を□達する
しん ぶん　はい たつ

6. a boy → a young man → a middle aged man → an old man

| □ | □ | □ | □ | □ | □ | □ | □ |

しょう ねん　　　　せい ねん　　　　　ちゅう ねん　　　　　ろう じん

7. the art museum in Tokyo　　　8. to visit my teacher's home

□ □ の美 □ □ 　　□ □ のお □ を □ □ する

とう きょう　　び じゅつ かん　　　せん せい　　　たく　　ほう もん

9. a resident　　10. This country is a multi-racial nation.

□ □ 　　　　この □ は □ □ □ □ である。

じゅう みん　　　　　　くに　　た みん ぞく こっ か

Ⅲ.　次の（　　）に適当な漢字を書きなさい。

1.　朝、（　　）を（　　）って、（　　）をみがく。
　　　　 か お　　　あ ら　　　は

2.　「（　　　）は（　　　）とすごすより（　　　）ホームで」というお年よりがふ
　　　ろ う ご　　　か ぞ く　　　　　 ろ う じん
　　えている。

3.　この（　　）は（　　　　　）である。a multi-racial nation
　　　　　く に　　た みん ぞく こっ か

4.　「（　　　）へ来たら（　　）を見せてください。」と言われたので、ひさしぶり
　　　とう きょう　　　か お
　　に先生のお宅を（　　　）した。
　　　　　　　　ほう もん

5.　（　　　）で（　　　）（　）けたが、（　　　）するまであと3（　　　）ぐら
　　 びょういん　　しゅじゅつ　う　　　たいいん　　　　　　しゅうかん
　　いかかる。

6.　このパスポートは（　　　）の3月まで（　　　）です。
　　　　　　　　　　らいねん　　　　　ゆうこう

— 191 —

ユニット　3 ―――――――――――――――――――――――――読み物

＜おばあさんと女の子＞

　　町でおばあさんがころんで、足にけがをしました。近くにいた人が電話で救急車を呼びました。すぐ病院から家族に連絡がありました。家族はとても心配して、急いで病院へ行きました。医者は家族に説明しました。

　　「今日、簡単な手術をします。手術後三週間は歩けません。それからリハビリをします。まだ外は寒いですから、病院でゆっくりリハビリして、三月ごろ退院したらいかがですか。」

　　「リハビリは老人にも効果があるんですか。」奥さんが聞きました。

　　「そうですね。老人といってもまだ六十五歳ですから、少しずつやれば、一か月ぐらいで元気になりますよ。時々訪ねてあげてください。」医者は、小さい女の子に「きみもお花を持って、おばあちゃんの顔を見に来てね。」と言って、白い歯を見せて笑いました。次の週、女の子は両親と病院に見舞いに行きました。おばあさんの部屋へ行く前に、近くの花屋によりました。

　　「そのピンクのバラはいくらですか。」

　　「これは一本五百円です。今は寒いから高いんですよ。春になると、安くなるんですけど。」

　　女の子はしばらく考えてから言いました。

　　「じゃあ、一本ください。」

　　女の子はピンクのバラを一本持って、おばあさんに会いに行きました。おばあさんはとても喜びました。

　　　＊救急車（きゅうきゅうしゃ）　　an ambulance
　　　リハビリ＝リハビリテーション　rehabilitation
　　　～歳（さい）　　～ years old　　見舞（みま）いに行く　to visit a sick person
　　　～に よる　to drop in (to a place)　　バラ　a rose

　[質　問]　1．おばあさんはどうして入院しましたか。

　　　　　　2．手術の後どのくらいしたら、歩いてもいいですか。

　　　　　　3．どのぐらい入院しなければなりませんか。

　　　　　　4．リハビリは何週間ぐらいですか。

　　　　　　5．女の子はおばあさんに何を持って行きましたか。

　知っていますか　　　できますか

＜いろいろな表示（Instructions for Use）＞

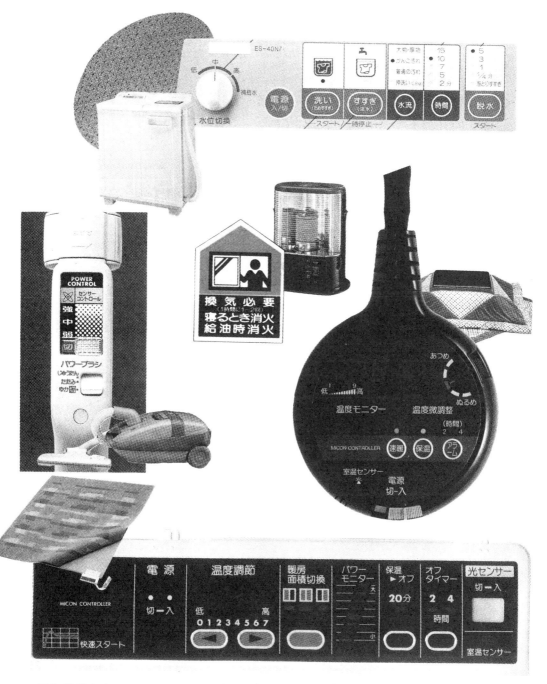

　電気器具などには、いろいろな表示（instructions）がついています。どのぐらい分かりますか。

洗濯機 (せんたくき Washing Machine)

水位切換 (すいいきりかえ)
Water level

低 (てい) Low

中 (ちゅう) Middle

高 (こう) High

電源 (でんげん) Power

入／切 On/Off

洗 (あら)い Wash

すすぎ Rinse

水流 (すいりゅう)
Water flow

時間 (じかん) Time

脱水 (だっすい) Spin

掃除機 (そうじき Vacuum Cleaner)

強 (きょう) Strong

中 (ちゅう) Medium

弱 (じゃく) Weak

切 Off

ストーブ (Stove)

換気必要 (かんきひつよう) Ventilation necessary

寝 (ね)るとき消火 (しょうか) Turn off when going to bed

給油時消火 (きゅうゆじしょうか) Turn off when refuelling

こたつ (Kotatsu: Japanese Table-type Heater)

温度 (おんど) モニター
Thermostat

低 (てい) Low

高 (こう) High

速暖 (そくだん) Quick heating

保温 (ほおん) Retaining warmth

アラーム Alarm

温度微調整 (おんどびちょうせい)
Temperature fine adjustment

ぬるめ Warm

あつめ Hot

室温 (しつおん)センサー
Room temperature sensor

電気カーペット (Electric Carpet)

温度調節 (おんどちょうせつ) Temperature adjustment

暖房面積切換 (だんぼうめんせききりかえ) Change of heating area

光 (ひかり)センサー Light sensor

第42課

ユニット 1 ———————————————————漢字の話

大 学 生 活 （University Life）

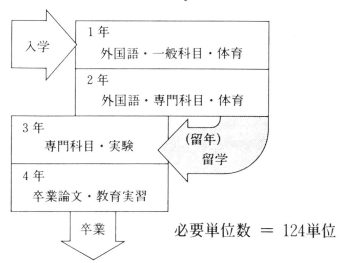

必要単位数 ＝ 124単位

一般科目 （いっぱんかもく）　general subjects

専門科目 （せんもんかもく）　special subjects

選択科目 （せんたくかもく）　elective subjects

必修科目 （ひっしゅうかもく）compulsory subjects

実験 （じっけん）　experiments

野外調査 （やがいちょうさ）　field work

卒業論文 （そつぎょうろんぶん）　a graduation thesis

教育実習 （きょういくじっしゅう）　teaching practice

卒業 （そつぎょう）graduation

必要 （ひつよう）　necessary, required

単位 （たんい）　a credit

ユニット 2 ──────────────── 第四十二課の基本漢字

2-1. 漢字の書き方

漢字	意味	くんよみ	オンヨミ	（画数）

461 卒　graduate　　　　　　　　　　　　　ソツ　　（8）

丶　亠　广　六　広　亥　卆　卒

卒業（そつ・ぎょう）する　to graduate　　大学卒（だい・がく・そつ）
卒業生（そつ・ぎょう・せい）　a graduate　　　　　a college graduate

462 論　discuss　　　　　　　　　　　ロン　　（15）
　　　debate

丶　亠　ミ　言　言　言　訁　訃　詥　論　論　論　論　論　論

論文（ろん・ぶん）　a thesis, a paper　　理論（り・ろん）　a theory
議論（ぎ・ろん）する　to discuss, to argue

463 実　fruit　　　み　　　　　　　ジツ
　　　real　　　みの-る　　　　　　　　（8）

丶　宀　宀　宁　宇　宇　実　実

実（みの）る　to bear fruit　　　実験（じっ・けん）する　to experiment
事実（じ・じつ）　a fact　　　　実用的（じつ・よう・てき）な　practical

漢字	意味	くんよみ	オンヨミ	（画数）

464 調 | research / tone | しら-べる | チョウ | (15)

丶 二 三 言 言 言 訂 訊 訊 調 調 調 調 調

調（しら）べる　to check　　　　　調子（ちょう・し）　condition, tone
調査（ちょう・さ）する　to investigate　　調和（ちょう・わ）　harmony

465 必 | necessity | かなら-ず | ヒツ | (5)

丶 ソ 必 必 必

必（かなら）ず　surely, without fail
必要（ひつ・よう）な　necessary, indispensable

466 要 | indispensable / essential | い-る | ヨウ | (9)

一 厂 冎 币 两 西 要 要 要

要（い）る　to need　　　　　重要（じゅう・よう）な　important
要求（よう・きゅう）する　to demand　　要点（よう・てん）　the point

467 類 | genus / sort | | ルイ | (18)

丶 ソ 丷 半 米 米 米 半 类 类 類 類 類 類 類
類

書類（しょ・るい）　paper, documents　　親類（しん・るい）　relatives
分類（ぶん・るい）する　to classify

漢字	意味	くんよみ	オンヨミ	（画数）

468 得 gain obtain — え-る — トク — （11）

丿 彳 彳 彳 彳 彳 得 得 得 得 得

得（え）る　to gain, to acquire　　　所得（しょ・とく）　income
得意（とく・い）な　to be good at

469 失 lose — うしな-う — シツ/シッ- — （5）

丿 ト 느 牛 失

失（うしな）う　to lose　　　　　　失業（しつ・ぎょう）する　to lose one's job
失礼（しつ・れい）な　impolite　　　失敗（しっ・ぱい）する　to fail

470 礼 bow, gratitude ceremony — レイ — （5）

丶 ラ ネ ネ 礼

礼（れい）　etiquette, a bow　　　　　　お礼（れい）　thanks
礼服（れい・ふく）　ceremonial dress　　　無礼（ぶ・れい）な　rude

2－2．読み練習

Ⅰ．次の漢字の読み方をひらがなで書きなさい。

1．卒業する　　2．実験する　　3．失礼する　　4．論文

5．書類　　　　6．必要な　　　7．得意な　　　8．調べる

9．必ず　　　10．お礼

Ⅱ．次の漢字の読み方をひらがなで書きなさい。

1．コンピュータの調子が悪いので、調べてみてください。

2．事実は小説よりも面白い。

3．日本の大学では卒業する前に卒業論文を書く。

4．試験を受けるのに必要な書類がたくさんある。

5．都会に住む若い人たちは失業して所得がない。

6．部屋に入る時も出る時も「失礼します」と言う。

7．重要な点は後から必ずお知らせします。

8．実験の結果を論文にまとめる。

2-3. 書き練習

I. □に適当な漢字を入れなさい。

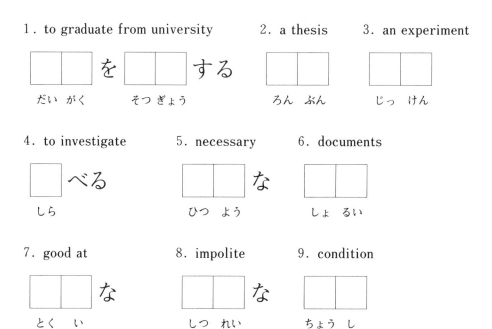

1. to graduate from university

□□ を □□ する
だい がく　　　そつ ぎょう

2. a thesis

□□
ろん ぶん

3. an experiment

□□
じっ けん

4. to investigate

□ べる
しら

5. necessary

□□ な
ひつ よう

6. documents

□□
しょ るい

7. good at

□□ な
とく い

8. impolite

□□ な
しつ れい

9. condition

□□
ちょう し

II. □に適当な漢字を入れなさい。

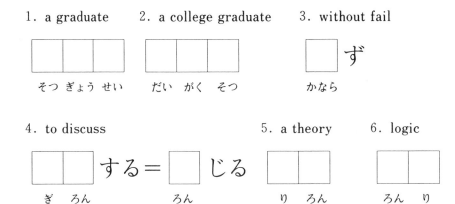

1. a graduate

□□□
そつ ぎょう せい

2. a college graduate

□□□
だい がく そつ

3. without fail

□ ず
かなら

4. to discuss

□□ する ＝ □ じる
ぎ ろん　　　　　ろん

5. a theory

□□
り ろん

6. logic

□□
ろん り

7. a fact

□□
じ じつ

8. practical use

□□
じつ よう

9. fruit, a nut

□の□
き　み

10. to say thank you

□を□う
れい　い

11. to investigate

□査する
ちょう さ

12. important

□□な
じゅう よう

13. to demand

□□する
よう きゅう

14. the point

□□
よう てん

15. to gain

□る
え

16. income

□□
しょ とく

17. to lose one's job

□□する
しつ ぎょう

18. to fail

□敗する
しっ ぱい

Ⅲ.　次の文を適当な漢字を使って書きかえなさい。

1．このろんぶんのようてんをまとめなさい。

2．そのじっけんは、かならずよいけっかがえられるでしょう。

3．わたしのいちねんかんのしょとくは、500まんえんぐらいです。

4．このへやのかぐは、ちょうわがとれていない。

5．とうきょうをあんないしてもらったおれいに、ゆうはんをごちそうした。

ユニット 3 ——————————————————————————— 読み物

＜お願いの手紙＞

拝啓　春もたけなわとなりました。先生には、お元気でいらっしゃることと存じます。

私もおかげ様で、この三月大学を卒業いたしました。在学中は、いろいろお世話になり、有難うございました。また、卒論作成の折は、大切な資料をお貸しいただき、あつくお礼を申し上げます。

さて、実は、在学中から得意な英語を生かして、米国留学をしたいと考えておりましたが、この九月からミシガン大学の大学院の修士課程に入ろうと思い、準備をしております。必要な書類は、ほとんど送ったのですが、あと二人の先生の推薦状が必要です。先生にはお忙しいところ、まことに急なお願いでございますが、来週までに推薦状を書いていただけませんでしょうか。

書式などくわしいことは、二十五日に上京いたします折に先生にお目にかかって、ご説明したいと存じます。本当に勝手なお願いで申し訳ございませんが、なにとぞおカをお貸しくださいますようお願い申し上げます。まずは書面にて失礼いたします。

敬具

平野礼子

平成四年　四月二十三日

原　一夫先生

---

*手紙の書式については25課を見ること。（ふうとうの書き方は20課）

*春もたけなわ　The spring is in all its glory.

存(ぞん)じます ＝ 思います　(humble expression)

おかげ様で　by a person's favor, owing to

在学中（ざいがくちゅう）　during one's college days

お世話(せわ)になる　　to receive assistance

有難(ありがと)うございました　Thank you very much.

折(おり)＝ 時　an occasion, when

申(もう)し上げます ＝ 言います　(humble expression)

生(い)かす　to make good use of

修士課程（しゅうしかてい）　a M.A. course

推薦状（すいせんじょう）　a letter of recommendation

勝手(かって)なお願い　a one-sided request

申し訳(わけ)ございません ＝ すみません　(polite expression of apology)

▭ 知っていますか ▭ できますか ▭

＜履歴書の記入要領＞
りれきしょ　　ようりょう

How to Write a Personal History

1 黒インキ又はボールペンを使用すること。

2 本籍（国籍）欄（One's home address, nationality）
せき　　らん

東京、北海道、京都などと記入すること。外国の国籍を有する場合には、
その国名を記入すること。

3 学歴欄（Higher education）　高校卒業以上を記入すること。

（例）

学	昭和40年 4月入学 43・3・卒業	○○高校
歴	昭和43年 4月入学 47・3・卒業	○○大学○○学部○○学科
高 校 卒 以 上	昭和47年 4月入学 49・3・修了	○○大学大学院○○研究科 ○○課程○○専攻

4 学位欄（Academic degree）

（例）

学 位	昭和49年 3月20日	○○修士／○○博士 ○○大学

5 職歴欄（Employment）　会社名、大学名、研究所名と職名などを記入するこ
しょく
と。

6 その他業績（Other work）　本人の専門、研究分野に関連した論文、受賞な
ぎょうせき
どの主なもの。

履　歴　書

（平成　年　月　日現在）

ふりがな 氏　名	（男・女） ○	本籍（国籍）	
大正　年　月　日生 昭和　　　　　（　才）		現住所 　　　　　　　電話（　）－	
学 歴 高校卒以上	昭和　年　月入学 〃　　・　・卒業	○○高校	
	〃　　・　・入学 〃　　・　・卒業	○○大学○○学部○○学科	
	〃　　・　・入学 〃　　・　・修了	○○大学大学院○○研究科 ○○課程○○専攻	
	〃　　・　・ 〃　　・　・		
学位	昭和　年　月　日	○○修士／○○博士 ○○大学	
年　月　日		職　歴	
平成　年　月　日 ～　　・　・　・			
〃　　・　・　・ ～　　・　・　・			
年　月		その他業績	

第43課

変化の動詞（Verbs of Change）

21課でスル動詞を勉強しました。次の言葉は、変化を表すスル動詞です。

- ・増加： 増（ふ）える ＋ 加（くわ）える ＝ 増加する
  ぞうか to increase to add to increase

- ・減 少： 減（へ）る ＋ 少（すく）なくなる ＝ 減少する
  げんしょう to decrease to become few to decrease

- ・変化： 変（か）わる ＋ 化（ば）ける ＝ 変化する
  へんか to change to disguise to change

はたらく時間の変化（一週あたり）　　　　東京の気温と降水量の変化

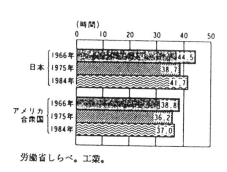

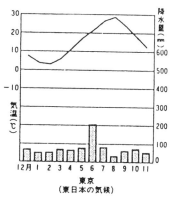

労働省しらべ。工業。

（『日本のすがた　1987』国勢社　1987）

- ・移動： 移（うつ）る ＋ 動（うご）く ＝ 移動する
  いどう to transfer to move to move

- ・連続： 連（つら）なる ＋ 続（つづ）く ＝ 連続する
  れんぞく to line up to continue to continue

- ・進歩： 進（すす）む ＋ 歩（ある）く ＝ 進歩する
  しんぽ to proceed to walk to progress

ユニット 2 ──────────────── 第四十三課の基本漢字

2－1．漢字の書き方

漢字	意味	くんよみ	オンヨミ	（画数）

471 増 — add / increase — ふ-える／ま-す ふ-やす — ゾウ — （14）

一 十 土 圠 圠 圠 圠 坤 増 増 増 増 増

増（ふ）える to increase, to grow　　増（ふ）やす to add, to increase
増加（ぞう・か）する to increase, to rise, to grow

472 加 — add — くわ-わる くわ-える — カ — （5）

フ 力 加 加 加

加（くわ）わる to join　　　　　　加（くわ）える to add
参加（さん・か）する to join　　　加工（か・こう）する to process

473 減 — decrease — へ-る へ-らす — ゲン — （12）

` 冫 氵 汈 汈 汈 沥 沥 減 減 減

減（へ）る to decrease, to diminish　　　減（へ）らす to decrease
減少（げん・しょう）する to decrease, to reduce

漢字	意味	くんよみ	オンヨミ	（画数）

474 変 | change | か-わる
か-える | ヘン | （9）

`　丶　亠　ナ　亣　亦　亦　亦　亦　変`

変（か）わる　to change　　変化（へん・か）する　to change, to vary
変（か）える　to change (something)　　大変（たい・へん）　very, much

475 移 | transfer | うつ-る
うつ-す | イ | （11）

`　ノ　二　千　手　禾　禾　秒　移　移　移　移`

移（うつ）る　to move　　移動（い・どう）する　to move, to remove
移（うつ）す　to move (something)　　移民（い・みん）　an immigrant

476 続 | continue | つづ-く
つづ-ける | ゾク | （13）

`　く　乡　乡　糸　糸　糸　糽　紆　紵　結　結　続　続`

続（つづ）く　to continue　　連続（れん・ぞく）する　to continue
続（つづ）ける　to continue (something)　　相続（そう・ぞく）する　to inherit

477 過 | exceed
pass | す-ぎる
す-ごす | カ | （12）

`　l　冂　冂　円　冎　丹　咼　咼　咼　過　過　過`

過（す）ぎる　to pass, to exceed　　通過（つう・か）する　to pass
過（す）ごす　to spend (time)　　過去（か・こ）　the past

漢字	意味	くんよみ	オンヨミ	(画数)
478 進	proceed advance	すす-む すす-める	シン	(11)

ノ 亻 亻 亻 仁 仁 佯 隹 `隹 谁 進

進(すす)む　to advance, to progress　　　　進歩(しん・ぽ)する　to progress
進(すす)める　to advance, to promote

479 以	from, than		イ	(5)

丨 乚 㠯 以 以

以上(い・じょう)　more than　　　　以前(い・ぜん)　previously
以下(い・か)　less than　　　　以後(い・ご)　after that

480 美	beauty	うつく-しい	ビ	(9)

丶 ソ ソ 丷 羊 关 关 美 美

美(うつく)しい　beautiful　　　　美容院(び・よう・いん)　a beauty parlor
美人(び・じん)　a beautiful woman　　　　美術(び・じゅつ)　fine arts

2－2．読み練習

Ⅰ．次の漢字の読み方をひらがなで書きなさい。

1．増える　　2．減る　　3．増加する　　4．加える　　5．変化する

6．移る　　7．続く　　8．変わる　　9．過ぎる　　10．進む

11．以上　　12．以下　　13．美しい

Ⅱ．次の漢字の読み方をひらがなで書きなさい。

1．1950年以後、子どもの数が減少し、老人の人口が増加している。

2．この川の流れの変化は、過去五十年間なかった。

3．医学の進歩によって多くの病気が治るようになった。

4．母がよく行く美容院は、カットが五千円以上もする。

5．加える水を増やしたり減らしたりして、実験を続けた。

6．今3時5分過ぎです。あなたの時計は少し進んでいます。

7．空港のロビーで大変美しい外国の女の人を見た。

8．「女心と秋の空」というのは、変わりやすいという意味だ。

2－3．書き練習

I． □に適当な漢字を入れなさい。

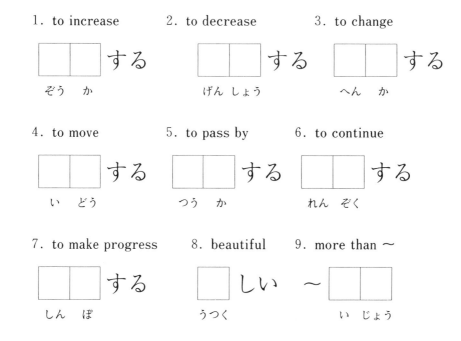

1. to increase

□□ する

ぞう　か

2. to decrease

□□ する

げん しょう

3. to change

□□ する

へん　か

4. to move

□□ する

い　どう

5. to pass by

□□ する

つう　か

6. to continue

□□ する

れん ぞく

7. to make progress

□□ する

しん　ぽ

8. beautiful

□ しい

うつく

9. more than ～

～ □□

い じょう

II． □に適当な漢字を入れなさい。

1．The number of cars increases.

□ の □ が □ える。

くるま　　かず　　ふ

2．to gain friends

□ だちを □ やす

とも　　　　ふ

3．A new member joins the club.

□□□ がクラブに □ わる。

しん かい いん　　　　くわ

4．to add salt

塩を □ える

しお　くわ

5. to join the United Nations

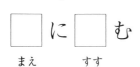
こく　れん　　　　か　にゅう

6. to go on with the plan

けい　かく　　　　すす

7. to step forward

まえ　　すす

8. the past

□ 去
か　こ

9. Winter passed.

ふゆ　　す

10. to change the schedule

よ　てい　　　か

11. to move to Tokyo

とう　きょう　　うつ

12. to migrate

い　じゅう

Ⅲ.　次の文を適当な漢字を使って書きかえなさい。

1．こうつうじこがねんねんふえている。

2．1945ねんいご、にほんじんのかんがえかたやせいかつは、おおきくへんかした。

3．3ねんれんぞくしてむらのじんこうがげんしょうしている。

4．まいとしすずしいこうげんでなつをすごす。

5．とうきょうへうつってから、ずっといそがしいひがつづいている。

ユニット　3 ──────────────────────────── 読み物

＜日本人の食生活＞

	1962	1978	増減
エネルギー	2373	2500	127
米	1137	785	352
小麦	252	308	56
油脂	130	311	181
肉	43	134	91
たまご	37	64	27
牛乳	46	96	50
さとう	177	261	84
果物	31	56	25
いも	67	43	24
魚	94	105	11
豆	101	89	12
野菜	86	89	3

（資料　食料需要表）
（単位：Kcal）

　日本人の食生活は、62年をピークとして大きく変化した。まず主食の米は、戦後あまり生産が多くなかったが、62年まで毎年少しずつ増加した。

　しかし、62年以後生産は増えたが、食べる量が減り始めた。そして、それ以後30年間連続して減少を続けている。それでは、ほかの食物はどうか。

　ここに1962年と1978年の食物からのエネルギー量をくらべた表がある。エネルギーは、127Kcal増えている。大きく減少しているのは、米、いも、豆である。1960年代以前日本人は、米、魚、野菜を中心とした食事をしてきた。しかし60年代になると、外国風の食べ物がいろいろ売られるようになり、肉、たまご、バターなどが食生活に加えられた。油脂、肉、牛乳、さとうのカロリー増加はこの食生活の変化をよく説明している。今の日本人の体が大きくなったのは、この過去30年間の食生活の変化による。

＊食生活（しょくせいかつ）　one's diet
　戦後（せんご）　after the war
　表（ひょう）　a chart
　1960年代（ねんだい）　the 1960's
　～風（ふう）　～ style
　牛乳（ぎゅうにゅう）　milk
　～による　to be due to ～

主食（しゅしょく）the staple food
量（りょう）　amount, quantity
豆（まめ）　beans
野菜（やさい）　vegetables
油脂（ゆし）　oils and fats
過去（かこ）　past

［質　問］　１．1950年代の日本人の食事はどんなものだったか。

　　　　　　２．1970年代の日本人の食事はどんなものになったか。

　　　　　　３．大きく減ったものは何か。

　　　　　　４．あなたの国の食生活はどう変わったか。

▨▨▨ 知っていますか ▨▨▨ できますか ▨▨▨

＜日本の歴史年表（ねんぴょう）＞

西暦	時代	
B.C 500	原	先土器・縄文
A.D1		弥
100	始	生
200		
300		
400		古
500	古	墳
600		
700		710
800	代	奈良 794
900		平
1000		
1100		安
1192		
1200		鎌倉
1300	中	1338 1333 南北朝
1400		室
1500	世	町 戦国
1573		安土桃山
1600	近	
1700		江
1800	世 1868	戸
1900	近代 1945	明治 大正
	現代	昭和 平成

西暦（せいれき）　the Christian Era

時代（じだい）　a period

＜**時代区分**＞　the division into periods

原始（げんし）　primitive times

古代（こだい）　ancient times

中世（ちゅうせい）　medieval times

近世（きんせい）　recent times

近代（きんだい）　modern times

現代（げんだい）　the present age

＜**日本の時代区分**＞

先土器（せんどき）
　　（pre-earthenware period）

縄文（じょうもん）
　　Jomon ware (straw-rope pattern pottery)

弥生（やよい）　　Yayoi ware

古墳（こふん）
　　ancient burial mounds

奈良（なら）　　Nara (place name)

平安（へいあん）　Heian ＝ Kyoto

鎌倉（かまくら）　Kamakura

室町（むろまち）　　a place name in Kyoto

南北朝（なんぼくちょう）
　　　　Northern and Southern Dynasties

戦国（せんごく）　　the Age of Wars

安土桃山（あづちももやま）　　a place name

江戸（えど）　　Edo ＝ Tokyo

明治（めいじ）　　Meiji period

大正（たいしょう）　　Taisho period

昭和（しょうわ）　　Showa period

平成（へいせい）　　Heisei period

☆日本の年表の右にあなたの国の歴史の時代区分を書いてください。

☆次の年号と世界史上のいろいろな出来事とを線でむすびなさい。

1）1299年・　　　　・a．フランス革命
2）1492年・　　　　・b．スエズ運河の開通
3）1498年・　　　　・c．バスコ＝ダ＝ガマがインドに着く
4）1517年・　　　　・d．ベルが電話発明
5）1687年・　　　　・e．オスマントルコがおこる
6）1765年・　　　　・f．宗教改革（ルター）
7）1775年・　　　　・g．アメリカの独立戦争が始まる
8）1789年・　　　　・h．産業革命が始まる
9）1869年・　　　　・i．コロンブスのアメリカ大陸発見
10）1876年・　　　　・j．ニュートンが引力の法則を発見

— 214 —

第44課

抽象的概念を表す表現（Expressions of Abstract Ideas）

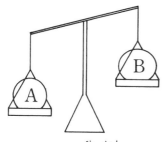

AとBを比較する
compare A with B

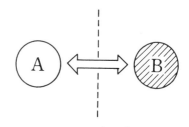

AとBを対比する
contrast A with B

Cに賛成する
agree with C

Cに反対する
oppose C

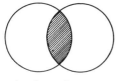

共通点
common points

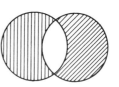

相違点
different points

ユニット 2 ─────────────── 第四十四課の基本漢字

２－１．漢字の書き方

漢字	意味	くんよみ	オンヨミ	（画数）

481 比 compare　　くら-べる　　　　　ヒ　　　（4）

一　 比　 比ˊ　 比

比（くら）べる　to compare　　　　比重（ひ・じゅう）　specific gravity
対比（たい・ひ）する　to contrast

482 較 contrast　　　　　　　　　　カク　　　（13）

一　 厂　 亓　 斤　 亘　 車　 車　 車ˋ　 軐　 軗　 軐　 較

比較（ひ・かく）する　to compare

483 反 opposite, anti-　（そ-る）　　　ハン　　　（4）
reserve

一　 厂　 厉　 反

反応（はん・のう）　a reaction　　　　反映（はん・えい）する　to reflect
違反（い・はん）　a violation of a rule　反（はん）〜　anti-〜

漢字	意味	くんよみ	オンヨミ	（画数）

484 対　counter-against　　　　　タイ　　ツイ　　（7）

丶　ッ　ナ　ヌ　ヌ一　対　対

~に対（たい）して　against ~　　　　　対応（たい・おう）　correspondence
反対（はん・たい）する　to oppose　　　2対（たい）3　　2 to 3

485 賛　approve　　　　　　　サン　　（15）

一　二　声　夫　夫一　夫二　夫夫　夫夫　恭　梦　替　替　替　賛

賛成（さん・せい）する　to agree, to approve of

486 共　common together　とも　　　　キョウ　　（6）

一　十　サ　壮　芕　共

共通（きょう・つう）の　common　　　　共同（きょう・どう）　cooperation
共和国（きょう・わ・こく）　a republic

487 直　direct, just straight　なお-る/ただ-ち　なお-す　　チョク　　（8）

一　ナ　广　方　直　直　直　直

直（なお）す　to repair　　　　　直後（ちょく・ご）　immediately after
直流（ちょく・りゅう）　direct current　直接（ちょく・せつ）　direct

漢字	意味	くんよみ	オンヨミ	（画数）
488 表	surface appear, table	あらわ-す おもて	ヒョウ	（8）

一 十 キ キ 丰 ま 未 表

表（あらわ）す　to express　　　　発表（はっ・ぴょう）する　to announce
表現（ひょう・げん）　an expression　　表面（ひょう・めん）　a surface

489 現	appearance presence	あらわ-れる あらわ-す	ゲン	（11）

一 丁 チ 王 王 珇 玥 玥 珇 現 現

現（あらわ）れる　to appear　　　　現代（げん・だい）　modern times
現金（げん・きん）　cash　　　　現在（げん・ざい）　the present

490 初	begin first	はじ-め はつ	ショ	（7）

丶 ラ ネ ネ ネ 初 初

初（はじ）めて　for the first time　　初夏（しょ・か）　early summer
最初（さい・しょ）の　first　　　　初歩（しょ・ほ）　the first steps

2－2．読み練習

Ⅰ． 次の漢字の読み方をひらがなで書きなさい。

　　1. 比べる　　　2. 反対する　　　3. 賛成する　　　4. 直す　　　5. 表す

　　6. 現れる　　　7. 比較する　　　8. 対比する　　　9. 表現する　　　10. 初めて

　　11. 共通する　　　12. 発表する　　　13. 直接

Ⅱ． 次の漢字の読み方をひらがなで書きなさい。

　　1. 両者には共通点と相違点がある。

　　2. キャッシュ・カードは、現金より便利だ。

　　3. 最初に、カードを入れます。次に、ボタンを押します。
　　　 さい

　　4. 現代日本の教育制度についての論文を発表します。

　　5. 交通違反でけいさつに呼ばれた。

　　6. この二つの国は農業開発という共通の問題を持っています。

　　7. 彼の専門は、日本とアメリカの比較文化です。

　　8. 賛成意見と反対意見が半分ずつで、決められなかった。

　　9. 同じ意味を表すのにいろいろな表現が使われる。

2－3．書き練習

Ⅰ． □に適当な漢字を入れなさい。

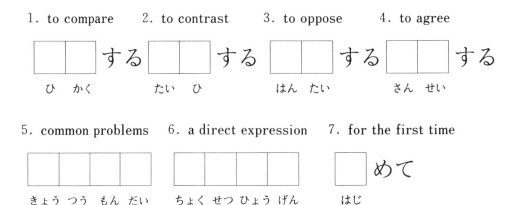

1. to compare　　2. to contrast　　3. to oppose　　4. to agree

　□□する　　□□する　　□□する　　□□する
　ひ　かく　　　たい　ひ　　　　はん　たい　　　さん　せい

5. common problems　　6. a direct expression　　7. for the first time

　□□□□　　　　□□□□　　　　□めて
　きょう つう もん だい　　ちょく せつ ひょう げん　　はじ

Ⅱ． □に適当な漢字を入れなさい。

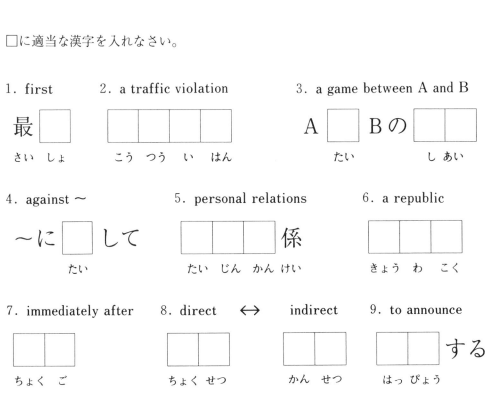

1. first　　　2. a traffic violation　　　3. a game between A and B

最□　　　□□□□　　　　A□Bの□□
さい しょ　　こう つう い はん　　　　たい　　　し あい

4. against ～　　　5. personal relations　　　6. a republic

～に□して　　□□□係　　　　□□□
　　たい　　　たい じん かん けい　　きょう わ こく

7. immediately after　　8. direct　↔　indirect　　9. to announce

□□　　　　□□　　　□□　　　□□する
ちょく ご　　　ちょく せつ　　かん せつ　　はっ ぴょう

10. a surface

□□
ひょう めん

11. to express

□す
あらわ

12. to compare

□べる
くら

13. relatively

□□的
ひ　かく　てき

14. cash

□□
げん　きん

15. the present

□在
げん　ざい

16. the first steps

□□
しょ　ほ

17. early summer

□□
しょ　か

18. a reaction

□応
はん　のう

19. to be opposed to

□する
はん

20. a co-operative study

□□□□
きょう　どう　けん きゅう

Ⅲ.　次の文を適当な漢字を使って書きかえなさい。

1．くすりをのんでも、なかなかこうかがあらわれない。

2．おとうとは、あまりかんじょうをかおにあらわさない。

3．せんせいは、がくせいのしつもんにたいしてひとつひとつていねいにこたえて
　くれる。

4．さくしゃのかんがえかたがどのさくひんにもよくはんえいしている。

5．こどもたちは、いぜんにくらべていえのなかであそぶことがおおくなった。

ユニット 3 ─────────────────────── 読み物

＜スピーチ＞

　私は、インドのアリです。国の大学で経営を勉強して、卒業した後、政府の経済開発研究所で働きました。そして、今年の４月に初めて日本へ来ました。今日は、私の専門について少しお話ししたいと思います。

　私は、日本の会社の経営のシステムを研究したいと思っています。日本は、戦後（せんご）短期間に経済成長をし、現在では経済先進国になりました。それには、様々な理由が考えられますが、日本の会社のすぐれた経営システムもその一つではないでしょうか。インドは、政治、経済、教育などに英国のシステムを使って来ました。英国のシステムには、もちろん利点もありますが、インドに合わない点もあります。私は、英国と日本の経営システムを比較して、共通点と相違点を検討（けんとう）し、インドに合ったシステムを考えたいと思います。また、本で理論を勉強するだけではなく、日本の会社を訪問して、そこの経営システムについて働いている人たちに直接意見を聞いてみたいと思っています。

　　＊経営　management
　　経済成長　economic growth
　　利点　an advantage
　　検討（けんとう）する　to examine

　　戦後（せんご）after the war
　　先進国　advanced nations
　　合う　to fit, to suit

質問　1．5行目の「それ」は、何を指していますか。

　　　2．5行目から7行目のアリさんの意見に、あなたは賛成ですか、反対ですか。

　　　3．アリさんの研究テーマは、何と何の比較ですか。

　　　4．あなたの専門と研究計画について、同じようにスピーチを考えなさい。

▨▨▨▨ 知っていますか ▨▨▨▨ できますか ▨▨▨

＜漢和辞典(かんわじてん)の調べ方＞

① 漢字の部首が分かっている時は、 ⟶ 部首索引(ぶしゅさくいん)（Radical Index）

Ex. 「記」の部首は「言（ごんべん）」で、その画数は７画。

漢和辞典の「部首索引」（表紙のうら）で調べると、「言」がのっているページが分かる。

そのページを見ると、そこから「言 計 訂 訃 ・・・」と、右の部分の画数が少ない順(じゅん)に並んでいる。漢字「記」のところには、以下のような説明と「記」を使った言葉(ことば)のリストがあり、その読み方と意味の説明を見ることができる。

＊表紙 a cover
うら the back, inside
のっている to be printed
順(じゅん)に in order

（『角川漢和中辞典』（1986）より）

【記】しるす 言３ 教 キ 10

【解字】形声。己が音を表わし、しるす意の語原（識）からきている。言語をしるす意。

【字義】①しるす（録・識）。いちいち分別して書きしるす。かきもの。かきとめる。「筆記」「記録」「旧記」。②かきもの。書きしるしたもの。文書。「記事」「追記」。③しるし。心にしるす。「記号」。④おぼえる（覚）。心にとめる。⑤一種の文体。「記事文」。⑥〈国訓〉き。「古事記」の略称。「記紀」

⑦印章。〈国訓〉き。「暗記」。⑦しるす。しるし述べる。物をありのままにしるした得物。「記事」の文章。

【対考】①〔しるす〕の同訓は記・志・誌・識・紀・注・詰・・署・銘・録。記は、心におぼえること、

【記入】（にゅう）書き入れる。書きしるす。
【記号】（号）（ごうがう）ある事がらを表わすしるし。文字・符丁の類。
【記伝】（伝）記録と史伝。〈国〉本居宣長（もとおりのりなが）の著「古事記伝」の略。
【記名】（めい）名まえを書きしるす。「―― 投票」
【記事】（じ）事実をありのままにしるす。また、その文章。
【記事本末】（ほんまつ）年代や年月の順序によらず、一事件ごとにその始末を記述する、歴史記述の一体。記（紀）事本末体。⑦編年体・紀伝体。
【記述】（じゅつ）①書きしるす。しるし述べる。②ある対象について、それがどのようなものかを順序よく書いて述べること。
【記述的科学】（がく）事実をありのままに記述することを目的とする科学。化学・動物学・植物学の類。⑦理論的科学。
【記性】（せい）（心）ものを覚える力。記憶の能力。
【記憶】（おく）力。「く。また、そのもの。思い出。「――に新しい」
【記念】（ねん）のちのちの思い出のたねに残しておくこと。
【記念碑】（ひねん）ある事がらを記念して、のちに伝えるために建てた碑。
【記念像】（ぞう）（ぞうぞう）他人の功績などを忘れないために建てる銅像や石像など。
【記者】（しゃ）①文章・文書を書きしるす人。②新聞・雑誌などの記事を書いたり、また編集したりする人。
【記室】（しつ）昔、記録をつかさどった属官。今の秘書官・書記の類。
【記紀】（き）〈国〉「古事記」と「日本書紀」とを合わせて呼ぶ略称。
【記帳】（ちょう）帳面・帳簿に記入する。
【記載】（さい）書き載せる。書き載せてある文。

---

② 部首が分からない時は、 —→ 総画索引（Stroke Count Index）
　　　　　　　　　　　　　　　<ruby>総画索引<rt>そうかくさくいん</rt></ruby>

Ex.　「氏」の画数は４画。「総画索引」（漢和辞典の前の方にある）には漢字が画数
　　　の少ない順に並んでいる。画数が増えると、たくさん漢字があるので、さがすの
　　　が大変だが、やってみよう。

② 漢字の読み方が分かれば、 —→ 音訓索引（Reading Index）
　　　　　　　　　　　　　　　<ruby>音訓索引<rt>おんくんさくいん</rt></ruby>

Ex.　「音訓索引」はふつう漢和辞典の一番終わりにある。たとえば、「書籍」とい
　　　う言葉が分からない時、初めの漢字「書」の読み方「ショ」か「か（く）」が分
　　　かっていれば、音訓索引で「書」をさがし、そこで「書籍（しょせき）」を見つ
　　　けることができる。やってみよう。

[練習 I]　　次の言葉を漢和辞典の部首索引で調べなさい。

　　1．理解　　　　　　　　　　4．統計

　　2．偶然　　　　　　　　　　5．著者

　　3．接続　　　　　　　　　　6．逆説

[練習 II]　　次の言葉を総画索引で調べなさい。

　　1．世代　　　　　　　　　　4．死亡

　　2．永久　　　　　　　　　　5．豆腐

　　3．光景　　　　　　　　　　6．首相

［**練習Ⅲ**］　次の言葉を音訓索引で調べなさい。

1. 必要 　　　　　　　　4. 作用

2. 比較 　　　　　　　　5. 重力

3. 表面 　　　　　　　　6. 生命

［**練習Ⅳ**］　次の言葉を適当に切って、漢和辞典で読み方と意味を調べなさい。

1. 処理速度

2. 通信技術理論

3. 経済協力開発部

☆　漢字ノート作り

　漢和辞典で新しい漢字の読み、意味、熟語（じゅくご　compound words）などを調べたら、自分のノートにまとめておきましょう。熟語については、和英辞典を引きなおして、その意味、使い方、例文なども書いておくと、便利です。

例.

反対の意味の漢字や関連のある漢字などがあれば書く →	記	キ　記入（きにゅう）する　to fill in 　　用紙に名前を記入する。
		記事（きじ）　an article 　　新聞に面白い記事があった。
		記者（きしゃ）　a reporter 　　弟は雑誌記者をしている。
		しる（す）　to note, to write 　　手帳に本の題名を記す。

第45課

接辞の漢字 －3－ 抽象的概念（Abstract Ideas）
（せつじ）（ちゅうしょうてきがいねん）

接頭辞：**全** － ＝全部の～　　全科目　all the subjects
（せっとうじ）（ぜん）（ぜんぶ）
　　　　　　　　all　　　　全学生　all the students

　　　　　　　　　　　　　全生産　all the production

　　　　　　　　　　　　　全国　全員　全階　全面　全体

　　　最 － ＝一番～　　　最新　the newest
　　　（さい）
　　　　　　the most ～　　最高　the highest, the greatest

　　　　　　　　　　　　　最初　the first

　　　　　　　　　　　　　最大　最低　最後　最悪　最良　最近

　　　第 － ＝the ～ th　　第1号　the No. 1
　　　（だい）
　　　　　　　　　　　　　第3回　the 3rd time

　　　　　　　　　　　　　第五課　the 5th lesson

　　　　　　　　　　　　　第1期　第二次　NHK第1　第6スタジオ

　　　無 － ＝～がない　　無試験　no examination
　　　（む）
　　　　　　　no ～　　　　無計画　no planning

　　　　　　　　　　　　　無意味　meaningless

　　　　　　　　　　　　　無関心　無休　無料　無効　無名

　　　非 － ＝～ではない　非公式　　informal
　　　（ひ）
　　　　　　not ～, un-　　非科学的　unscientific

　　　　　　　　　　　　　非論理的　illogical

　　　　　　　　　　　　　非生産的　非人間的　非常　非番

　　　不 － ＝～ではない　不必要な　unnecessary
　　　（ふ）
　　　　　　　～しない　　不注意な　careless

　　　　　　un-, in-　　　不親切な　unkind

　　　　　　　　　　　　　不経済な　不勉強な　不自由な　不便な

接尾辞 ：-的　＝～のような　　　科学的　scientific
　　　　　　　　　-tic, -al　　　　経済的　economical
　　　　　　　　　-tive　　　　　　論理的　logical
　　　　　　　　　　　　　　　　　＊比較的　comparatively

　　　　　　　　　　　　　　　　　生産的　人間的　社会的　効果的　感情的

　　　　-性　＝①～こと　　　　　生産性　productivity
　　　　　　　-ness, -ity　　　　　人間性　humanity
　　　　　　　　　　　　　　　　　実用性　practicality, usefulness

　　　　　　　＝②～の性質　　　　国民性　national character
　　　　　　　character　　　　　　高速性　high speed
　　　　　　　　　　　　　　　　　動物性　animal matter

　　　　-化　＝～になる　　　　　近代化　modernization
　　　　　　　～にする　　　　　　近代化する　to modernize
　　　　　　　-ization　　　　　　工業化　industrialization
　　　　　　　-ize(with スル)　　工業化する　to industrialize

　　　　　　　　　　　　　　　　　自動化　実用化　自由化　機械化　美化　強化

☆その他：

諸-（しょ）＝いろいろな　various　　諸国　諸島　諸問題　諸事情　諸費用
各-（かく）＝それぞれの　each　　　各国　各地　各会社　各新聞　各方面
両-（りょう）＝両方の　both　　　両親　両者　両国　　両大学　両選手
未-（み）＝まだ～ない　not yet　　未婚　未知　未完成　未発表　未使用

-法（ほう）＝法律　　　law　　　民法　商法　交通法　農地法
　　　　　＝方法　　　method　　使用法　教育法　比較法
-制（せい）＝制度　　　system　　四年制　会員制　共和制
-課（か）＝　lesson, section　　第1課　経理課　営業課
-線（せん）＝　line, railroad　　平行線　山手線　東海道線
-中（ちゅう）＝　to be ～ ing　　営業中　準備中　会議中　工事中
　　（じゅう）＝　all ～, whole ～　日本中　世界中　一日中　一年中

— 227 —

ユニット 2 ──────────第四十五課の基本漢字

2－1．漢字の書き方

漢字	意味	くんよみ	オンヨミ	（画数）

491 全　whole, all　　まった-く　　ゼン　（6）

ノ 入 今 全 全 全

全（まった）く…ない　not at all ＝ 全然（ぜん・ぜん）…ない
全員（ぜん・いん）　all the members　　全部（ぜん・ぶ）　all, the whole

492 最　most　　もっと-も　　サイ　（12）

丨 冂 冂 日 旦 早 昻 昻 昮 最 最 最

最（もっと）も　the most ～　　　　最近（さい・きん）　recently
最悪（さい・あく）　the worst　　　最低（さい・てい）　the lowest

493 無　no, non-　un-, dis-　　な-い　　ム　ブ　（12）

ノ 一 ニ 仁 仨 無 無 無 無 無 無 無

無（な）い　not to exist　　　　無事（ぶ・じ）　secure, safety
無制限（む・せい・げん）　limitless　　無効（む・こう）　invalid

漢字	意味	くんよみ	オンヨミ	（画数）

494 非　not, non-
no good

ヒ　　（8）

ノ　フ　ヲ　ヲ　非　非　非　非

非現実的（ひ・げん・じつ・てき）　unrealistic　　非行（ひ・こう）
非常口（ひ・じょう・ぐち）　an emergency exit　　　　delinquency

495 第　rank

ダイ　　（11）

ノ　ト　ケ　ケ′　ケケ　ケケ　竹　竺　笃　第　第

第三者（だい・さん・しゃ）　a third person　　第一（だい・いち）　No. 1
第二次（だい・に・じ）　the second　　次第（し・だい）に　gradually

496 的　target, (suffix
to make na-Adj.)

テキ　　（8）

ノ　イ　自　自　白　白′　的　的

目的（もく・てき）　a purpose, an aim　　文化的（ぶん・か・てき）な
個人的（こ・じん・てき）な　personal, individual　　　　cultural

497 性　sex, quality
(suffix to make N.)

セイ
ショウ　　（8）

ノ　ハ　忄　忄′　忄　忄　性　性

男性（だん・せい）　the male　　性別（せい・べつ）　the distinction of sex
性質（せい・しつ）　character　　可能性（か・のう・せい）　possibility

漢字	意味	くんよみ	オンヨミ	（画数）

498 法　law, rules method　　　　　　　　ホウ／-ポウ　（8）

丶　氵　氵　氵　汁　汁　法　法

法律（ほう・りつ）　a law　　　　　　　　方法（ほう・ほう）　a method
使用法（し・よう・ほう）　how to use　　　文法（ぶん・ぽう）　grammar

499 制　control system　　　　　　　　　　セイ　（8）

丿　仁　仁　午　氕　牛　制　制

制度（せい・ど）　a system　　　　　　　　制服（せい・ふく）　a uniform
会員制（かい・いん・せい）　a membership system

500 課　impose, assign section　　　　　　　カ　（15）

丶　亠　三　言　言　言　訁　訳　評　評　評　課　課　課

課（か）す　to assign　　　　　　　人事課（じん・じ・か）　a personnel section
博士課程（はく・し・か・てい）　a doctor course

2－2．読み練習

Ⅰ． 次の漢字の読み方をひらがなで書きなさい。

1. 全国　　　2. 最高　　　3. 無理な　　　4. 非科学的　　　5. 第1課

6. 目的　　　7. 女性　　　8. 性質　　　9. 方法　　　　10. 制度

11. 最も新しい情報＝最新情報　　　12. 最も重要な書類＝最重要書類

13. 無料　↔　有料　　　　　　14. 無意味な

Ⅱ． 次の漢字の読み方をひらがなで書きなさい。

1. 日本の教育制度は、6・3・3・4制である。

2. 彼は国際交流課の課長です。　　a chief of the division of international relations

3. 「こと」と「の」の用法の違いを説明しなさい。

4. この国の人々の国民性は、開放的で進歩的だといわれる。
　　　　　　　　　　　　　　frank and progressive

5. 最近、中学生や小学生の非行が増えている。

6. 飛行機が落ちたが、乗客は全員無事だった。

7. 彼は今、心理的に非常に不安定です。psychologically very unstable

8. 第3回経済会議が東京で開かれた。

2－3．書き練習

Ⅰ． □に適当な漢字を入れなさい。

1. all, the whole　2. the first　3. free of charge　4. an emergency exit

　　ぜん　ぶ　　　　さい　しょ　　　　む　りょう　　　　ひ　じょう　ぐち

5. Lesson 4　6. a purpose　7. distinction by sex　8. a method

　　だい　よん　か　　　もく　てき　　　せい　べつ　　　　ほう　ほう

9. an educational system　10. a personnel section

　　きょう　いく　せい　ど　　　じん　じ　か

Ⅱ． □に適当な漢字を入れなさい。

1. all members　2. all over the country　3. the whole

　　ぜん　いん　　　　ぜん　こく　　　　ぜん　たい

4. recently　5. the last　　　　　　6. the biggest　7. the smallest

　　さい　きん　　　さい　ご　＝　さい　しゅう　　　さい　だい　　　さい　しょう

8. ignorant

む　ち

9. indifference

む　かん　しん

10. meaningless

む　い　み

11. safety

ぶ　じ

12. unscientific

ひ　か　がく　てき

13. illogical

ひ　ろん　り　てき

14. informal, unofficial

ひ　こう　しき

15. a third person

だい　さん　しゃ

16. the second time

だい　に　かい

17. the fifth plan

だい　ご　じ　けい　かく

18. emotional

			な

かん　じょう　てき

19. modern

		な

きん　だい　てき

20. practical

		な

じつ　よう　てき

21. a theory → theoretical → to make into a theory

り　ろん

		な

り　ろん　てき

		する

り　ろん　か

22. to produce → productive → productivity

		する

せい　さん

		な

せい　さん　てき

せい　さん　せい

23. humanity

にん　げん　せい

24. sociality

しゃ　かい　せい

25. male ⟷ female

だん　せい

じょ　せい

26. how to use   27. commercial law   28. the civil law

し　よう　ほう　　つか　　かた　　　しょう　ほう　　　　みん　ぽう

29. a four-year university   30. a three-shift basis

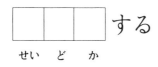 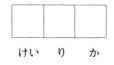

よ　ねん　せい　　だい　がく　　　さん　こう　たい　せい

31. to institutionalize   32. the account section   33. a section chief

せい　ど　か　する　　　けい　り　か　　　　か　ちょう

Ⅲ. 次の文を適当な漢字を使って書きかえなさい。

1. えきまえには、きんだいてきなビルがならんでいる。

2. さいきんのだいがくせいは、せいじにむかんしんだ。

3. じょせいはだんせいよりかんじょうてきになりやすいといわれている。

4. おとうとはこうこうをでて、4ねんせいのだいがくにすすんだ。

5. そのけいかくはあまりにひげんじつてきだ。

ユニット 3 ──────────────────────────── 読み物

＜日本語ワープロ使用法＞

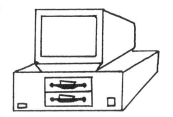

　『一太郎』は、PC-9801システムのための日本語ワードプロセッサーです。まず、コンピュータの上のドライブに『一太郎』のシステム・フロッピーを、下のドライブに初期化した文書フロッピーを入れ、スイッチを入れてください。

　すると、下の画面のようになりますから正しい日付と時刻を入力してください。表示されている日付と時刻が正しければ、「リターン・キー」を押すだけで OK です。

```
A＞ECHO OFF
現在の日付は　1992−01−15（水）です
日付を入力してください：
現在の時刻は 10：30：14.00 です
時刻を入力してください：
```

　日付と時刻の入力が済むと、『一太郎』が起動します。『ただいま一太郎を読み込み中…』というメッセージが表示され、しばらくすると、『A：文字入力』の画面になります。

　『ローマ字漢字』変換なら、アルファベットで入力できます。たとえば、「KAWA」と入力すると、自動的に画面には「かわ」と出ます。「f・7」のキーを押すと「カワ」（かたかな）、「f・8」キーで「ｶﾜ」（半角文字）、「f・9」で「KAWA」（アルファベット)になります。漢字にしたい場合は、スペース・バーを押すと、「川」になります。その漢字が正しくなければ、またスペース・バーを押すと、画面の下に同じ読みの漢字のリストが「1. 川　2. 側　3. 皮　4. 河　5. 革」のように出ますから、スペース・バーで正しい字を選んで、リターン・キーで確定してください。

　　左上にある「ESC」キーを押すと、次のようないろいろなコマンドが使えます。

```
＝＝＝＝＝＝＝＝＝＝＝＝＝＝＝＝＝＝＝＝＝＝＝＝＝＝＝＝＝＝＝＝＝＝＝＝
A. 文字入力　T. ファイル　D. 削除　M. 移動　C. コピー　Y. ペースト　B. クリア
P. 印刷　S. 検索　J. ジャンプ　F. 書式設定　E. 文字飾り　Z. 文字サイズ　H. 補助登録
W. ウィンドウ　K. 罫線　L. 一括変換　V. 計算　X. 組込み　O. オプション　Q. 終了
コマンドを選んで下さい。
```

　「A・文字入力」を選べば、また文字入力画面にもどります。

『一太郎』を終了するには、文字入力の画面で「ESC」キーを押し、コマンドの中から「Q・終了」を選びます。すると、次のような画面になりますから、「S」か「E」を選んでください。

```
===============================================
S. セーブ終了後　E. 強制終了
文書を保存しますか？
Q. 終了
```

「S」キーを押すと、作った文書のファイルに名前をつける画面が出ます。

```
===============================================
ファイル名［B：¥　　　　　　　　　　　　　　　　　　］
見出し文［　　　　　　　　　　　　　　　　　　　　　　　］
範囲指定［　A. 全部　B. 一部　］　パスワード［　　　　　　　　　　　］
書き込み形式［　N. 通常　1. リンク形式1　2. リンク形式2　］
ファイル名を入力してください（↑↓キーで一覧）
T. ファイル　S. 保存
```

ファイル名は、半角で8字までです。ファイル名を入力したら、リターン・キーを押して下さい。「A＞」のマークが出たら、フロッピーを取り出して、スイッチを切ります。

　説明がわかったら、『一太郎』を使って、文書を作ってみましょう。

＊一太郎(いちたろう)　(brand name of word-processing software)

初期化(しょきか)する　to initialize	文書フロッピー　a data floppy disk
画面(がめん)　a screen	日付(ひづけ)　date
時刻(じこく)　time	入力(にゅうりょく)する　to input
表示(ひょうじ)する　to indicate	済(す)む　to finish
起動(きどう)する　to start	変換(へんかん)　conversion
自動的(じどうてき)に　automatically	半角(はんかく)　half-width
場合(ばあい)　in case of ～	確定(かくてい)する　to fix
削除(さくじょ)　deletion	移動(いどう)　movement
印刷(いんさつ)　print	検索(けんさく)　search
書式設定(しょしきせってい)　format	
文字飾(もじかざ)り　lettering	
補助登録(ほじょとうろく)　auxiliary directory	
罫線(けいせん)　lines	
一括変換(いっかつへんかん)　global conversion	
計算(けいさん)　calculation	組込(くみこ)む　built-in
終了(しゅうりょう)する　to quit	セーブ後終了　quit after save
強制終了(きょうせいしゅうりょう)　abandon and quit	
保存(ほぞん)する　to preserve, to keep, to save	

‖‖‖‖‖‖‖‖‖‖‖‖‖‖‖‖‖‖‖‖‖‖ **復　　習** ‖‖‖‖‖‖‖‖‖‖‖‖‖‖‖‖‖‖‖‖‖‖

Review Lessons 41－45

N： 老(人)　(家)族　(手)術　効(果)　(国)民　顔　歯

論(文)　(書)類　以(下)　全(国)　最(高)　性(質)

(方)法　制(度)　第(一)課

A： 必要な　得意な　美しい　無(理)な　非(科学)的な

Ad： 初めて

V： 訪ねる　調べる　移る　続く　過ぎる　進む　直す

VN： (心)配する　退(院)する　卒(業)する　実(験)する

失礼する　　増加する　　減(少)する　変(化)する

比較する　　反対する　　賛(成)する　共(通)する

表現する

Ⅰ. 次の漢字のことばを小さい単位に分けて、意味の関係を考えなさい。

　　　例. 新空港建設反対 → 　新 / 空港 / 建設 / 反対
　　　　　　　　　　　　　　　新しい空港を建設することに反対すること

　　　1. 無生物 →

　　　2. 非科学的 →

　　　3. 最新情報 →

　　　4. 卒業者数 →

　　　5. 不得意科目 →

　　　6. 比較文化研究 →

　　　7. 大家族制度 →

　　　8. 効果的学習法 →

Ⅱ. 次の（　）に適当な漢字を下から選んで入れなさい。

　　　1. 日本の教育システムは、6・3・3・4（　　　）といわれる。

　　　2. （　　　）人口の50％近くが大都市に集中している。

　　　3. システムを合理化して、生産（　　　）を上げる。

　　　4. この病気を治す効果（　　　）な方法を見つけなければならない。

　　　5. そのチームは、史上（　　　）強といわれた。

　　　6. 彼は、20年間（　　　）事故（　　　）違反だ。

　　　7. （　　　）必要な動物実験には反対だ。

　　　8. 新しい方法を制度（　　　）する。

化　的　性　制　法　不　無　非　最　以　全　合

Ⅲ. 次のことばと反対の意味のことばを書きなさい。

例. 反対 － (賛成)

1. 最高　－（　　　　）　　　　9. 公的　－（　　　　）

2. 進化　－（　　　　）　　　10. 一部　－（　　　　）

3. 心配　－（　　　　）　　　11. 前進　－（　　　　）

4. 増加　－（　　　　）　　　12. 以上　－（　　　　）

5. 入学　－（　　　　）　　　13. 最初　－（　　　　）

6. 入院　－（　　　　）　　　14. 洋風　－（　　　　）

7. 以前　－（　　　　）　　　15. 男性的 －（　　　　）

8. 間接的 －（　　　　）　　　16. 論理的 －（　　　　）

Ⅳ. 次のことばの中から適当なものを選びなさい。

1. 私はその意見に（a. 非賛成　b. 不賛成　c. 無賛成）です。

2. リーさんは（a. 日本風　b. 日本的　c. 日本性）の部屋に住んでいる。

3. この理論を（a. 実用的　b. 実用性　c. 実用化）しなければならない。

4. 彼は非常に（a. 進歩風　b. 進歩的　c. 進歩性）な考えの持ち主だ。

5. 最近は、（a. 男性用　b. 男性的　c. 男性制）の化粧(けしょう)品がよく売れる。

6. コンピュータの（a. 使用方　b. 使用制　c. 使用法）を説明する。

7. あまり（a. 感情化　b. 感情的　c. 感情性）にならないで、話し合いましょう。

8. このレストランは、（a. 会員的　b. 会員制　c. 会員性）ですから、会員以外の
　　方は入れません。

音訓さくいん（上・下巻用）

音はカタカナ、訓（くん）はひらがなで書く。あいうえお順（じゅん）にならべ、音訓の順。同じ音訓は、課（か）の順。（　）はあまり使わない読み、数字は課の数。

Index

部首索引 （ぶしゅさくいん，Radical Index） 数字は課の数

Ⅰ．へん ▨▢

1. イ ： 何 休 体 低 作 便 働 住 化 使
   (人) 4 5 5 8 11 16 17 19 22 24
   借 仕 備 信 価 個 代 伝 位
   24 27 31 32 35 35 37 37 40

2. 口 ： 味 呼
   (口) 28 37

3. 土 ： 地 場 増
   (土) 19 19 43

4. 女 ： 好 姉 妹 始 婚
   (女) 5 15 15 24 25

5. 弓 ： 強 引
   (弓) 21 33

6. 彳 ： 行 後 待 彼 術 得
   (彳) 9 10 11 15 41 42

7. 忄 ： 忙 情 性
   (心) 16 36 45

8. 扌 ： 持 接 指 折 払 投 打 押
   (手) 14 29 30 30 30 30 30 33

9. シ ： 泳 油 海 酒 渡 治 済 洋 活 温
   (水) 11 11 11 11 17 22 22 25 25 26
   涼 深 洗 流 消 決 泊 注 泣 港
   26 30 30 30 30 30 31 32 36 39
   減 法
   43 45

10. 阝 ： 降 院 階
    17 18 39

— 252 —

Ⅱ．つくり ▢

1．力：動　働　勉　効
 （力）　17　17　21　41

2．刀：切　初
 （刀）　16　44

3．刂：利　到　割　別　制
 　　16　32　33　37　45

4．ヒ：北　化　比
 　　18　22　44

5．口：和　知　加
 （口）　25　33　43

6．阝：部　都
 　　18　20

7．攵：教　政　数　故　放
 　　9　22　22　32　39

8．斤：新　近　所　折
 　　8　14　19　30

9．月：明　朝　期
 （月）　5　10　35

10．欠：飲　歌　次
 （欠）　9　14　28

11．寺：待　時　持　特
 （寺）　11　11　14　31

12．隹：離　難　雑　進
 　　25　28　34　43

13．頁：題　願　頭　顔　類
 　　21　33　36　41　42

その他：竹 帰 静 親 外 社 町 研 料 冷
（左右） 6 9 14 16 18 18 20 21 23 26

形 残 路 取 辞 報 狭 弱 眠 野
28 29 32 33 34 35 38 38 38 40

配 礼 対 非 的
41 42 44 45 45

Ⅲ. かんむり

1. 𠆢：金 食 今 会 合 全
2 9 12 12 29 45

2. 亠：文 高 夜 方 市 京 立 交 卒 変
7 8 10 10 20 20 24 32 42 43

3. ナ：友 有 右 左
15 16 18 18

4. 宀：字 安 宅 客 室 家 宿 寝 定 寒
7 8 12 12 12 12 21 24 25 26

案 完 実
31 39 42

5. 艹：花 茶 英 薬 荷 若 落 苦
7 7 12 12 14 16 29 38

6. 口：足 兄 号
（口） 6 15 19

7. 日：早 暑 最
（日） 16 26 45

8. 土：寺 走 赤
（土） 14 17 23

9. 耂：者 考 老
27 36 41

10. 田（田）： 男 5　思 23

11. 龸 ： 学 2　営 33　覚 36

12. 穴 ： 究 21　窓 34　空 39

13. 竹（竹）： 答 21　笑 36　簡 38　第 45

14. 雨（雨）： 雪 12　雲 12　電 12

Ⅳ. あし

1. 儿 ： 先 2　見 9　売 12　兄 15　元 16

2. 力（力）： 男 5

3. 口（口）： 石 6　古 8　名 16　右 18　台 34　品 35　告 35　喜 37

4. 女（女）： 安 8　妻 15　要 42

5. 日（日）： 書 9　音 23　者 27　春 26　暑 26

6. 心（心）： 思 23　悪 28　念 29　急 31　意 32　窓 34　感 36　悲 36　忘 36

7. 木（木）： 薬 12　楽 23　案 31　集 37

8. 灬 ： 黒 23　熱 26　点 28　無 45

— 256 —

9. 月：青 有 育
(月)　14　16　22

10. 田：番 留
(田)　19　21

11. 貝：買 質 貸 員 資 費 賛
(貝)　9　21　24　27　35　39　44

その他：分 岩 長 毎 前 奥 歩 着 公 県
(上下)　4　5　8　10　10　15　17　17　19　20
島 習 画 写 真 色 予 式 夏 冬
20　21　23　23　23　23　25　25　26　26
商 業 農 当 受 準 発 具 器 産
27　27　27　28　29　31　32　34　34　35
驚 単 置 歯 美 表 直
37　38　40　41　43　44　44

V. たれ

1. 厂：歴 原
22　40

2. 广：広 店 度 府 座 席
13　13　13　20　24　25

3. 尸：屋 局
13　32

4. 疒：病 疲 痛
13　13　13

Ⅵ. かまえ

1. 冂：円 肉 内 同
　　　　 3　 7　 18　 28

2. 匸：区 医
　　　20　22

3. 囗：田 四 回 困 国 図 園
　　　 1　 3　13　13　13　19　19

4. 門：門 間 聞 開 閉 問 関
　(門)　1　 5　 9　13　13　21　32

その他：向 風
　　　 40　40

Ⅶ. にょう

1. 辶：週 近 遠 速 遅 道 通 遊 返 送
　　　10　14　14　14　14　14　17　24　24　24

　　　運 選 違 適 連 退 進 過
　　　27　27　28　28　31　41　43　43

その他 ：勉 題 起 建
　　　　21　21　24　39

Ⅷ. 全体で一つの漢字 　　　（分けられない漢字）

1画：一
　　　 3

2画：人 二 七 八 九 十 力 入
　　　 1　 3　 3　 3　 3　 3　 4　17

基本漢字500のリスト

絵からできた漢字： 日 月 火 水 木 金 土 山 川 田

人 女 子 目 口 耳 手 足 車 門

雨 竹 米 石 糸 魚 鳥 牛 馬 貝 (30)

記号からできた漢字： 一 二 三 四 五 六 七 八 九 十

上 下 中 大 小 本 半 分 力 円 (20)

組合せでできた漢字： 明 休 体 好 男 林 森 間 聞 畑

岩 (11)

-い形容詞になる

漢字： (大) (小) (明) 新 古 長 短 高 安 低

暗 多 少 広 狭 近 遠 速 遅 早

白 黒 赤 青 暑 熱 寒 冷 暖 温

涼 良 悪 正 難 強 弱 若 忙 深

細 太 重 軽 眠 苦 痛 楽 悲 美 (47)

-な形容詞になる

漢字： 元 気 有 名 親 切 便 利 不 静

適 当 残 念 自 由 簡 単 必 要

得 意 無 理 (好) (24)

動詞になる漢字：
行　来　帰　食　飲　見　聞　読　書　話
買　教　作　泳　待　言　会　売　疲　困
開　閉　晴　持　歌　出　入　乗　降　着
渡　通　走　歩　止　動　働　住　習　答
起　寝　遊　立　座　使　始　終　貸　借
返　送　選　違　受　落　折　払　投　打
洗　流　消　決　泊　急　信　押　引　割
取　求　願　知　感　泣　笑　覚　忘　考
思　伝　代　呼　焼　曲　脱　別　集　並
喜　驚　飛　建　置　向　訪　調　増　加
減　変　移　続　過　進　比

（上）（下）（分）（休）（聞）（切）　　　　　　　（107）

名詞になる漢字：
私　彼　友　客　父　母　兄　弟　姉　妹
夫　妻　前　後　左　右　東　西　南　北
花　茶　肉　文　字　物　油　海　酒　飯
朝　昼　夜　晩　夕　方　時　年　今　何
宅　家　薬　雪　雲　店　国　道　寺　奥
外　駅　所　市　町　村　区　都　府　県
島　数　音　色　形　味　春　夏　秋　冬
点　線　者　次　窓　服　紙　銀　品　空
港　横　橋　頭　顔　歯　指　原　野　風　（90）

熟語になる漢字： 百 千 万 学 生 先 午 毎 週 曜

校 計 語 室 英 電 度 病 屋 荷

主 部 社 院 地 鉄 工 場 図 館

公 園 番 号 京 様 題 宿 政 治

経 済 歴 史 育 化 科 医 映 画

写 真 料 組 洋 式 和 天 仕 事

記 議 員 商 業 農 同 試 験 面

接 結 果 特 交 機 関 局 路 故

台 具 器 辞 雑 誌 資 個 価 産

期 々 情 階 設 費 位 平 両 老

族 術 効 民 論 実 類 以 共 直

初 全 最 非 第 的 性 法 制 課 (120)

-スル動詞の漢字： 練(習) 勉(強) 研 究 留(学) 質 問

(結)婚 離(婚) 欠 席 予 定 (生)活

運 転 説(明) 合 格 旅(行) (予)約

案 内 準 備 相 談 連 絡 (出)発

到(着) 注(意) 営(業) 用(意) 報 告

完 成 放(送) 心 配 退(院) 卒(業)

失 礼 (比)較 反 対 賛(成) 表 現 (51)

計500字

執 筆 者 略 歴

加納千恵子

筑波大学大学院地域研究研究科修士課程修了。
昭和51年10月より53年12月まで日本青年海外協力隊の派遣によりマレーシアのマラ工科大学語学センター日本語講師。57年4月より筑波大学大学院教育研究科非常勤講師，筑波大学留学生教育センター非常勤講師を経て，現在は，筑波大学文芸言語学系助教授。留学生センター勤務。

清水　百合

コロンビア大学ティーチャーズカレッジ応用言語学科修士課程修了。
昭和54年度日本語教育学会日本語教育研修了。筑波大学留学生センター非常勤講師を経て，現在は，九州大学留学生センター助教授。

竹中　弘子

筑波大学大学院地域研究研究科修士課程修了。
昭和55年8月より58年7月まで国際交流基金の派遣により在中国日本語研修センター日本語講師。筑波大学留学生教育センター非常勤講師，国際交流基金日本語国際センター日本語教育専門員を経て，現在は，東京学芸大学教育学部助教授。

石井恵理子

学習院大学大学院人文科学研究科博士課程前期修了。
筑波大学留学生教育センター非常勤講師等を経て，昭和63年12月より国立国語研究所日本語教育センター日本語教育研修室研究員。

基本漢字 500
BASIC KANJI BOOK VOL.2

1989年5月20日　初　版　第1刷発行
1989年9月8日　第2版　第1刷発行
1999年9月10日　第3版　第10刷発行

著　者　　加納千恵子・清水百合・竹中弘子・石井恵理子
発行所　　株式会社　凡　人　社
　　　　　〒102-0093　東京都千代田区平河町1-3-13
　　　　　菱進平河町ビル1F　電話 03-3263-3959